La tendresse attendra

Du même auteur

« Dans ma face, mon amour », nouvelle dans le collectif *Nu*, Québec Amérique, 2014.

« *What child is this ?* », nouvelle dans le collectif *Des nouvelles du père*, Québec Amérique, 2014.

La tendresse attendra, Stanké, 2011 ; collection « 10 sur 10 », 2015.

« La licorne en short shorts rouges », nouvelle dans le collectif *Amour et libertinage, par les trentenaires d'aujourd'hui*, Éditions Les 400 coups, 2011.

« Croquez dans ma pomme d'Adam », nouvelle dans le collectif *Cherchez la femme*, Québec Amérique, 2011.

Pavel, série en treize épisodes, Éditions de la courte échelle, 2008-2009.

Llouis qui tombe tout seul, roman, Stanké, 2006 ; collection « 10 sur 10 », 2009.

Douce moitié, demi-roman, Stanké, 2005.

Ça sent la coupe, roman, Stanké, 2004 ; collection « 10 sur 10 », 2008.

Échecs amoureux et autres niaiseries, roman, Stanké, 2004 ; collection « 10 sur 10 », 2007.

Matthieu Simard

La tendresse attendra

Roman

Catalogage avant publication de Bibliothèque et Archives nationales du Québec et Bibliothèque et Archives Canada

Simard, Matthieu

    La tendresse attendra
    (10/10)
    Édition originale : 2011.
    ISBN 978-2-8972-2007-5
    I. Titre. II. Collection : Québec 10/10.

PS8637.I42T46 2015   C843'.6   C2015-940290-5
PS9637.I42T46 2015

Direction de la collection : Marie-Eve Gélinas
Mise en pages : Annie Courtemanche
Couverture : Axel Pérez de León

Remerciements
Nous reconnaissons l'aide financière du gouvernement du Canada par l'entremise du Fonds du livre du Canada pour nos activités d'édition.
Nous remercions le Conseil des Arts du Canada et la Société de développement des entreprises culturelles du Québec (SODEC) du soutien accordé à notre programme de publication.
Gouvernement du Québec – Programme de crédit d'impôt pour l'édition de livres – gestion SODEC.

Les Éditions internationales Alain Stanké
Groupe Librex inc.
Une société de Québecor Média
La Tourelle
1055, boul. René-Lévesque Est
Bureau 300
Montréal (Québec) H2L 4S5
Tél. : 514 849-5259
Téléc. : 514 849-1388
www.1osur10.ca

Dépôt légal – Bibliothèque et Archives nationales du Québec et Bibliothèque et Archives Canada, 2015

ISBN : 978-2-8972-2007-5

Distribution au Canada
Messageries ADP inc.
2315, rue de la Province
Longueuil (Québec) J4G 1G4
Tél. : 450 640-1234
Sans frais : 1 800 771-3022
www.messageries-adp.com

Diffusion hors Canada
Interforum
Immeuble Paryseine
3, allée de la Seine
F-94854 Ivry-sur-Seine Cedex
Tél. : 33 (0)1 49 59 10 10
www.interforum.fr

À Nicolas

Chapitre 1
Plomberie générale

Je sais que je t'ai souvent menti. Que nos jours ensemble étaient ponctués de faux, parfois rien, parfois gros. Je sais qu'au fil des ans je t'ai fait mille promesses, mille « Je te le jure », qui m'ont valu mille de tes sourires apaisants. Tu as toujours su que je mentais. Et ça ne nous a jamais empêchés d'être heureux.

Cette fois-ci, je ne mens pas.

Je te le jure.

***

Depuis le trottoir, on ne voit qu'un énorme crucifix qui menace d'arracher le mur du fond. Du genre qui ne laisse pas de doute sur la souffrance du Christ, avec des clous de huit pouces qui transpercent ses mains et ses pieds, puis la croix, puis le gypse du mur derrière.

Autour, rien d'autre, ni comptoir ni commis, ni tuyau ni outil. L'inscription sur la porte vitrée dit pourtant «P. Faulkner, plomberie générale».

Il y a, accrochée sur la porte, une de ces petites pancartes à grosses lettres rouges, tenue par un fil, «ouvert» d'un côté, «fermé» de l'autre. On est jeudi après-midi et, de l'extérieur, on voit l'ouvert. Je tire la porte, des clochettes tintent, et je me sens mal parce que les clochettes tintent et que c'est de ma faute. Il y a beaucoup de ça chez moi, de ce temps-ci : la culpabilité du tout et du rien, l'autoflagellation pour le détail bruyant du quotidien dont tout le monde se fout. Ça va passer, il le faut bien.

J'essuie mes bottes comme s'il y avait un tapis – il n'y en a pas. Jésus me fixe droit dans les yeux, culpabilisateur de mes deux, et je regarde ailleurs, n'importe où. Il ne m'aura pas, ce barbu presque nu. Mon propre poids-coupable m'écrase déjà, pas besoin qu'une figurine de superhéros des temps anciens en rajoute. D'ailleurs, j'ignorais que la religion avait investi le monde de la plomberie. Ça tombe plutôt mal : jusqu'à tout récemment, il me restait encore un fil de foi, le mince espoir que quelqu'un, quelque part, veillait sur moi. Mais aujourd'hui, j'ai la foi vide, la certitude que je suis seul, que rien, sauf moi, ne peut m'aider.

J'observe la pièce. Pour une shop de plomberie, c'est cruellement vide. Une chaise en bois dans le coin gauche, usée, et, sur le mur du fond, à droite, une vieille porte en bois, basse et large. À l'œil, je dirais une cinq par quatre, mais je peux me tromper. Lourde et grise, aux charnières rouillées ; je ne savais pas qu'il y avait un donjon sur Drolet, au sud de Beaubien.

Dans le backstore, de l'autre côté de la porte, quelqu'un tousse. Un homme à la gorge molle, une toux râpeuse d'ex-fumeur qui essaie de dissimuler son vieux vice. Il tousse encore, mais la porte ne s'ouvre pas.

Je suis curieux. Malgré ma fragilité passagère, j'ai envie de savoir ce qui se cache de l'autre côté. Moi qui voulais simplement une shop ordinaire, des clés à molette et des hommes aux doigts usés, moi qui voulais voir des outils salis par les résidus de vie de La Petite-Patrie, me voici dans une pièce vide et religieuse. L'absence de comptoir, l'accueil inexistant, le crucifix grandeur nature, le temps qui passe sans qu'on vienne me voir, tout ça me rend mal à l'aise. Une petite partie de moi voudrait s'en aller tout de suite, avant que je me retrouve attaché à une table avec des chaps en latex et un masque à zipper. Avant qu'on me noie dans mon propre sang. Avant qu'on me pose une question – je ne saurais pas la réponse, c'est sûr.

Mais sur la porte vitrée, de l'intérieur, la petite pancarte dit «fermé», alors j'hésite. Je jette un dernier regard vers la petite porte grise. Je sens qu'elle va grincer.

— Gni, fait-elle.

L'homme à la toux apparaît, plié en deux, frôlant le cadre. Il se déplie en face de moi, et il est long. Sept pieds, peut-être, d'une minceur allumette. Les enfants à l'école devaient rire de lui.

— Euh... Bonjour, dis-je sans rire.

Il a les joues creuses et le menton pointu, la quarantaine squelettique, et il me fait peur, gueule de tueur. Il se racle la gorge.

— C'est pour un tuyau ?

Sa voix ressemble à sa toux.

— Non, c'est que... Je me demandais si...
— T'as une fuite ?
— Non, non, j'ai pas besoin d'un plombier. En fait, y a ma toilette qui... Mais non, c'est pas pour ça que je suis ici.
— Pourquoi, d'abord ?

Il ne sourit pas. Je le dérange. Je regarde autour, à la recherche d'une carte d'appréciation du service. Je cocherais « peu satisfait ». Pendant une seconde, je me dis que c'est dans ces moments-là que je m'ennuie de toi. Tu te sentirais aussi mal que moi et, après, on en rirait ensemble.

— Je... Est-ce qu'il y a une possibilité que... En fait, avez-vous des... des postes à pourvoir ?
— À quoi ?
— À pourvoir.
— À quoi ?
— Euh... Une job ?
— Ah... Tu veux travailler ici.
— Oui. Ben, je sais pas. Est-ce que...
— Assis-toi là.

Je m'assois là. La chaise a une patte trop courte. Ploc. Dilemme : je penche vers l'avant ou vers l'arrière ?

(Ma vie est palpitante.)

Vers l'avant. Les coudes sur les genoux, ça fait impliqué.

J'attends en pensant à Manute Bol, version blanc. C'est l'image que j'ai du grand sec à la joue creuse, parti dans le backstore demander quelque chose à quelqu'un.

— Gni.

Je lève les yeux. On dirait qu'il sourit.

— Le boss fait dire d'aller le rejoindre au resto, au coin de la rue.
— Pour une entrevue ?
— Appelle ça comme tu veux.
— Cool ! Merci...
— Il fait dire que si tu dis « pourvoir » devant lui, il t'engage pas.

***

Début novembre.

Cet après-midi, dès que j'ai senti l'haleine d'une bouche de métro soufflée vers moi, j'ai compris que l'hiver était arrivé. C'était son odeur, poussée tièdement dans ma face sur Saint-Vallier, près de Beaubien. J'ai sniffé cette ligne orange, et j'ai su qu'il était là, trop tôt, trop fort.

Ça, et il est tombé un pied de neige la nuit dernière.

***

Phil Faulkner est millionnaire. Je l'aurais cru pauvre : une vieille chemise, des cheveux sales, deux hot-dogs steamés – steamés, la cuisson des pauvres –, un rouleau de cinq dollars mal roulé. L'air de celui qui dort dehors.

13

Pourtant, il est millionnaire. Comme dans « je peux faire steamer mes hot-dogs avec de la vapeur d'eau de source ».

— Mais j'haïs ça l'eau de source, dit-il en tétant bruyamment son Pepsi Diète.

Apparemment, Phil Faulkner est un magnat de la plomberie. Le genre d'homme que plus rien n'intimide, pas même un frêle gars perdu qui vient lui quêter une job. Le genre d'homme qui a vu neiger.

— Ils annonçaient de la pluie, pourtant. Un pied de neige... Je m'en serais passé. C'est de bonne heure en ta', cette année. Il a fallu que j'aille dans le cabanon chercher mes claques, c'est te dire comment j'étais pas prêt.
— Oui.
— Fait que... Tu veux une job ?
— Oui... Mais j'ai pas apporté de CV parce que...

Parce que je ne connais rien à la plomberie.

— C'est pas grave, je crois pas à ça, les CV. C'est pour les grosses compagnies qui savent plus regarder les gens dans les yeux. Qu'est-ce que tu sais faire ?
— Je peux être honnête avec vous ?
— T'as pas le choix. Si tu me mens, je vais le savoir. Peut-être pas tout de suite, mais un jour... Fait que... Qu'est-ce que tu sais faire ?
— Rien.
— Je parle pas juste de plomberie. Qu'est-ce que tu sais faire, en général ?
— Rien.

***

Le jour où je décide de me prendre en mains, j'ai les pieds trempés. Mes orteils marinent dans une eau tiède de botte trouée, et je suis nerveux. Phil Faulkner est intimidant. Je tape du pied, fouiche. Ce restaurant n'a rien de la pataugeoire du parc Beaubien qui m'amusait tant quand j'avais trois ans.

***

Ce que je fais ici. Bonne question (sans point d'interrogation).

J'ai passé trois mois à attendre ce jour-là. Le jour où j'allais être capable de me lever, et de tenir debout, sans fléchir, sans pleurer. Le jour où j'allais enfin mettre à exécution ce plan que je rumine depuis des semaines. Le jour où j'allais sortir de mon marasme.

Je me suis levé déterminé, ce midi, convaincu que c'était l'heure de ma résurrection, que cet après-midi serait marquant. Je me suis levé avec la certitude qu'il était temps, enfin, de m'extirper de mon trou et de tout changer. Une nouvelle vie dans le monde de la plomberie. J'ai vu la neige par la fenêtre et je n'ai même pas frémi. Déterminé.

Quand j'ai posé le pied sur la première marche de l'escalier pas déneigé, directement dans la trace de la botte du facteur, j'ai entendu les cris de Snap, Crackle and Pop. La neige comme des Rice Krispies, l'hiver est glacial, cet automne.

Comme je n'ai aucun visou des pieds, j'ai été incapable de suivre les pas du facteur pendant plus de deux marches. Quelques pas de plus, quelques marches plus bas, et déjà la neige s'infiltrait dans ma botte.

C'est un petit flocon, un de ces beaux qu'on aime lécher, qui a d'abord rejoint ma chaussette, elle-même trouée par ce clou qui dépasse de la marqueterie de la cuisine, près du réservoir d'eau chaude. Puis c'était un autre flocon, moins beau, et un autre. Quelques mètres pour traverser la 3e Avenue, et c'était toute une gang qui se ruait vers mes orteils, flocons convaincus comme moi qu'il était beaucoup trop novembre pour avoir si froid.

Au printemps dernier, la semelle de ma botte droite a commencé à se détacher de la bottine. Il ne restait plus au sol que des reliquats d'hiver, du sable et du gravier qui sentaient bon le soleil. Tu m'avais dit que je ferais mieux d'en acheter des neuves tout de suite, qu'elles seraient en solde, mais je ne t'ai pas écoutée, comme toujours. « Je vais attendre l'automne prochain », t'avais-je dit, et tu avais soupiré. Puis, l'été s'est déroulé comme un tapis, lentement mais avec un ploc à la fin, et je me suis concentré chaque jour à oublier que la semelle de ma botte droite s'était détachée de la bottine. La nuit dernière, l'automne prochain est arrivé, sous la forme de l'hiver prochain.

D'où la pataugeoire dans ma botte, et mes orteils qui barbotent. Un inconfort qui ne m'aide en rien à me concentrer sur Phil Faulkner et son Pepsi Diète.

Il n'y a plus une goutte de foi en moi, mais des fois, j'aimerais croire en Dieu, en son fils, en toute cette belle histoire, calvaire de clous. J'aimerais avoir une poignée à laquelle m'accrocher, un tuteur qui m'aiderait à pousser plus droit. Mais je suis incapable de croire en eux, en ça. S'ils m'envoyaient un signe, peut-être, un moment encourageant, mais c'est le contraire qui arrive. Le jour où je décide enfin de bouger, d'avancer, de marcher sur les eaux, ils me pitchent de la neige dans le trou de botte. Qu'ils aillent chez le diable.

De toute façon, je ne serais pas doué pour la religion. Je n'ai peut-être pas, moi-même, beaucoup de volonté, mais je refuse d'avoir celle des autres. Alors je me lamente, et quand je vois le Christ sur un crucifix, j'évite son regard. J'essaierai d'être fort tout seul, puisqu'il le faut.

J'ai donc marché jusqu'ici, malgré le scouique dans la botte et l'athéisme grimpant. Une demi-heure de marche tranquille, dans la ville paralysée en pneus d'été, en robes soleil et en écoles fermées. J'ai eu froid, mais j'aimais voir ces gens dans leur fenêtre, qui regardaient la vie ne pas exister à l'extérieur, les yeux ronds, l'air perdu, la pelle découragée qu'on remet à demain. Les premiers froids et les premières neiges sont toujours plus paralysants. C'est parce qu'on oublie. Toutes les molécules de notre corps oublient, atomes congelés, pores dilatés qui laissent entrer le froid comme on laisse entrer son oncle à Noël, en oubliant qu'il peut être tellement fatigant.

J'ai marché dans le froid croustillant jusqu'à cette porte qui disait «ouvert», et je l'ai ouverte.

***

Et c'est ici, maintenant, que ça commence.

Toi qui sais toujours quoi dire, tu n'auras aucune réplique.

***

L'univers de la plomberie m'interpelle. Il est tout ce que je ne suis pas. Couvert de crasse, d'eau pourrie. Tout dans les mains. Dans les gestes. Dans les recoins du quotidien des autres. Loin du mien, loin des réflexions qui s'empilent en moi en une tour instable.

J'ai besoin d'aller loin. Besoin de colmater les fuites des autres pour oublier tous les trous impatchables qu'il y a dans ma peau. Quand le grand anguleux à la voix de toux m'a demandé si j'avais une fuite, j'ai voulu sourire, je me suis retenu, peur de mourir. J'ai voulu sourire parce que si quelque chose fuit, chez moi, c'est moi. M'enfuir.

Ça doit paraître. Phil Faulkner me parle comme s'il devait m'aider.

— Ça existe pas, quelqu'un qui sait rien faire. Regarde, toi par exemple, t'es capable de piler sur ton orgueil, de cogner à la porte du monde pis de te téter une job. C'est déjà pas mal plus que ben du monde que je connais.
— Oui, mais c'est pas...
— Y a-tu quelqu'un qui a dit que, dans la vie, il fallait être *winner* tout le temps ? J'aime mieux un perdu qui vient me voir qu'un parvenu qui se pense trop bon pour venir me voir.

Faulkner parle beaucoup, et vite. Quand mes orteils me déconcentrent, ou le morceau de chou sur son menton, ou toi, j'en perds des bouts. J'essaie de me raccrocher à un mot ou l'autre, en plein vol, j'essaie de rattraper le fil de la conversation, parce qu'il faudra bien que je lui réponde. Mais il parle trop vite, ça souffle trop fort, et je me perds davantage. Il me fixe sévèrement.

— C'est ça que j'aimerais savoir, ajoute-t-il à une phrase qui m'a échappé.

***

J'ai les pensées éparpillées. L'impression qu'il faut tout dire en même temps, pour ne rien oublier. J'ai les idées bousculées. Comme si j'écrivais une chanson qui dure deux secondes, toutes les notes en même temps, quel spectacle. Ma première Place des Arts se terminera en même temps qu'elle débutera. Les gens n'auront pas le temps de s'asseoir qu'ils m'ovationneront, voilà la formule gagnante. Kaïn n'a qu'à bien se tenir.

Je me répands encore, c'est plus fort que moi, comme si la réalité s'évaporait, que tout devenait une métaphore pour tout le reste.

Un refuge.

***

Phil Faulkner attend ma réponse. Je ne connais pas la question, mais voilà la serveuse salutaire. Tourbillonnons.

— Mademoiselle ? Je prendrais une Orange Crush.

Je souris vaguement au millionnaire qui me fait face.

— J'aime ça, l'Orange Crush, lui dis-je.

Il me fait un clin d'œil.

— Moi aussi j'aime ben ça.

On est frères d'Orange Crush. À partir de là, tout devrait bien aller. Je prends confiance, redresse le dos, le regarde dans les yeux. Il faut que je me concentre, que je sois intéressé si je veux être intéressant. Que je transpire la confiance à flots, même faux.

— De quoi on parlait ?

— Je te demandais pourquoi t'étais venu me voir moi, pis pas n'importe quelle autre plomberie. T'habites où, toi ?

— Je suis dans Rosemont, sur la 3e, pas loin de Dandurand.

— T'as la plomberie Fury pas loin. Pourquoi t'es pas allé là ? À moins que tu sois déjà allé pis qu'ils t'aient reviré de bord ?

— Non, non, je suis pas allé. Vous êtes le premier que je viens voir.

— Pourquoi moi, d'abord ? C'est ça que j'aimerais savoir.

Je réfléchis le temps d'un pschouit d'ouverture de canette d'Orange Crush – merci mademoiselle. La version longue de ma réponse ne l'intéresserait pas. J'abrège.

— J'ai habité en face pendant huit ans. Quand je pense plomberie, je pense à vous. C'est juste ça. J'ai même pas pensé à aller voir ailleurs.

Phil Faulkner sourit. Il a une dent plus jaune que les autres, mais ce n'est pas vraiment grave. Je pense qu'il m'aime bien. Tranquillement, on se met à jaser, comme un oncle et son neveu, de tout et de rien, du quartier, du dépanneur au coin, devenu d'abord un magasin à un dollar, puis une garderie. Des Bixi qui volent deux places de parking, l'été. De la neige, l'automne. Je lui parle du trou dans ma botte, il me parle d'un cordonnier sur Beaubien. On discute de tout sauf de la plomberie, de tout sauf de lui et moi. Drôle d'entrevue.

Puis il plonge dans ma vie, et ça ne me tente pas.

— T'as de l'instruction, toi, ça paraît. Ça m'étonnerait même pas que tu sois allé à l'université.
— Oui, un peu. Mais, euh... Je me demandais... Le crucifix dans votre shop...
— Oui ?
— Est-ce que c'est parce que...
— Il te dérange ?
— Non, non, c'est juste que... il est gros, han ?
— Ça te dérange ?
— Non, vraiment pas.
— Est-ce que tu crois à Jésus, toi ?
— Euh... Pas plus qu'y faut. Des fois.
— Quand ça fait ton affaire ?
— Oui. Si on veut.

Il a l'air sévère, le jugement premier droit dans les yeux. Il m'aime soudainement peut-être un peu moins, moins que si j'allais à la messe tous les dimanches. Mais je ne mentirai pas là-dessus : j'aurais plus d'affection pour Jésus si sa souffrance ressemblait plus à la mienne. Si sa blonde l'avait crissé là, par exemple.

Phil Faulkner regarde sa montre, puis il se lève et se dirige vers la caisse sans se retourner. Il paie à coups de billets maladroitement sortis de son rouleau de cinq dollars tenu par un élastique vert. Je me lève aussi, et je le suis vers la sortie. La serveuse m'interpelle.

— Monsieur ! Votre Orange Crush...

Faulkner se tourne vers moi, du rire dans la voix.

— Pensais-tu que je l'avais payée ?
— Euh...
— C'est pas en payant des drinks à mes employés que je suis devenu riche.
— Euh...
— Tu commences lundi prochain. Habille-toi propre.
— Pourquoi ?

C'est la première chose qui m'a traversé le crâne – pourquoi. Comme si c'était important. Je venais de décrocher la job de mes rêves – ceux de la nuit dernière – et je questionnais déjà mon boss.

— Parce que je te le demande.

Je baisse la tête, un peu honteux. Pendant que Faulkner sort du restaurant sans me regarder, je fouille dans mes poches, y trouve une pièce de deux dollars, la glisse sur le comptoir, près de la caisse.

— Garde le change.

Je suis big. J'ai une job.

À l'extérieur du restaurant, là où mon pied trempé renoue avec les flocons fondants, Phil Faulkner fume une cigarette au menthol. Je ne pensais pas qu'il m'avait attendu, mais il est là, balançant d'un pied à l'autre. L'air perplexe, il me pointe avec sa cigarette.

— OK, tu sais rien faire, mais tu faisais quoi, avant ? Pour gagner ta vie ?

Chapitre 2

Des femmes à barbe et des hommes imberbes

C'est un cirque, ici.

Avec tout ce qu'il faut de clowns, d'éléphants, de pitounes pas si belles aux habits trop moulants, de lions aux crocs tranchants, de cerceaux en feu, de grosses têtes difformes et de livres de recettes.

Bienvenue au Salon du livre de Montréal. Là où les poumons s'emplissent d'air trop sec, où les tapis se chargent d'électricité statique et où les signets sont à volonté. Là où on se pile sur les pieds pour voir les mêmes livres que chez Renaud-Bray.

Moi, dans ce cirque, je suis celui qui, sous le chapiteau du freak-show, se shoote dans la tempe avec un gun à clous, et qui survit – *barely*. C'est mon sixième salon de Montréal en tant qu'auteur. Les cinq précédents ont été pénibles ; celui-ci devrait être formidable. Ou pas. Tuez-moi, quelqu'un.

Je suis derrière ma petite table depuis une heure et quart, stylo à la main, sourire en coin, bonjour madame. Ah, elle ne me regardait pas pour vrai. Bonjour monsieur, oui, je suis l'auteur de ces romans. Au revoir monsieur. Rebonjour madame. Non, je ne sais pas où sont les toilettes.

Il fait chaud.

Comment peut-il y avoir autant de monde dans les allées, des centaines de milliers empilés, et aussi peu de monde qui veut me voir ? Comment les minutes peuvent-elles être si longues, remplies de secondes qui prennent autant leur temps ?

Je range mon gun à clous. Nouvelle stratégie : je me suiciderai par éclatement de la vessie, non par choix mais bien par gêne. Quand quelqu'un regarde dans ma direction, je me sens mal de ne rien faire, mains inoccupées, regard vide, sourire plat. Alors je bois. Gorgée d'eau après gorgée d'eau, chaque fois qu'un œil fait mine de se tourner vers ma table, je soulève le verre et je bois. Trois litres, quatre litres, je vais mourir, exploser, merci, merci.

Puis j'imagine la manchette – page 17 de mon journal de quartier : un auteur rosemontois meurt noyé dans sa pisse en plein salon du livre. Et ça me tente moins. Je trouverai sûrement plus glorieux. Entretemps, je me lève et vais demander où sont les toilettes à un autre auteur en séance de dédicaces.

Douce revanche.

***

Si j'ai l'air de me plaindre, c'est parce que c'est ce que je fais.

Mais je ne suis pas à plaindre, au contraire. Je suis un auteur simili-connu. Je vends plus de romans que l'autre à côté. En une séance d'une heure et demie, je fais régulièrement une quinzaine de dédicaces. Il y a même des lecteurs – des lectrices – qui m'attendent au début de mes séances, d'autres qui apportent leur livre de chez eux, tout usé. Je suis choyé. Je devrais l'apprécier.

Mais c'est une vie que je n'aime pas. M'asseoir ici fait mal, année après année. Il y a des clous sur ma chaise, et je ne suis pas un fakir. Les inconnus qui ne me connaissent pas me tapent sur les nerfs. Les inconnus qui me connaissent m'intimident. Je ne sais jamais quoi dire, quoi faire, quoi écrire. Je ne suis ni vendeur, ni vitrine. Je suis celui qui aimerait ne pas y être. Ce n'est pas la faute des lecteurs ; ils sont en général très gentils. C'est ma faute à moi ; je suis en général très épais. Tout ça me stresse pendant des semaines, et quand j'arrive à mon stand pour ma première séance de dédicaces, je suis déjà mort.

Six ans, trois romans, et toujours ce malaise, cette fatigue, cette torture, ce week-end de marde chaque fin novembre.

***

De loin, du fond du stand d'en face, une fille me regarde et sourit. Je soulève mon verre, réflexe hydratant, et le porte à ma bouche, espérant que la durée d'une gorgée suffira pour que la fille disparaisse. Quand je dépose mon verre et relève les yeux, elle me regarde toujours, mais de plus près. Elle avance vers moi, visiblement contente de m'avoir trouvé. Dans ses mains, mon dernier roman. Je souris poliment. Elle atteint enfin ma table, et je deviens perplexe : de près, il me semble bien qu'elle soit un gars. Il me semble. Je ne suis pas certain.

— Bonjour, dis-je d'une voix n'importe quoi.
— Allô, répond-il/elle avec beaucoup trop d'enthousiasme et une voix fémino-masculine.

Tout est neutre chez cette personne. Pas le moindre accessoire, vêtement, protubérance qui permette de discerner si c'est une -trice ou un -teur qui suit le lec.

Elle/il me tend son/mon roman.

— C'est pour une dédicace.
— Avec plaisir.

Mais pas tant que ça. Je transpire des dessous de bras et décapuchonne mon stylo.

— Comment tu t'appelles ?
— Pascal.

Shit.

J'écris ça « Pascal », mais ça peut aussi bien être « Pascale ». Métier pourri. Quand j'ai signé mon premier contrat d'édition, personne ne m'a parlé de ça. Je cherche du regard quelqu'un de connu, mon éditrice, ou encore la jeune fille qui m'apporte litre d'eau après litre d'eau. J'ai besoin d'un avis extérieur sur le sexe de cette personne. Mais rien. Ni pusher d'eau, ni pusher de mots. Tout le monde est occupé à s'en foutre, et je ne peux pas attendre plus longtemps.

— Euh… Comment tu l'épelles ?

J'ai vraiment demandé ça, moi ?

— Ben… Normal, là.

Ah pis *fuck*. Aujourd'hui sera le jour où je commencerai à écrire mes dédicaces comme les médecins écrivent leurs prescriptions. Une série de gribouillis illisibles, à commencer par un Pascal qui s'arrête au s, puis s'étire en une ligne ondulée jusqu'à la marge. Puis, des bouts de mots qui ne veulent rien dire, un semblant de « bonne lecture », et une signature illettrée. Voilà.

— Merci !!!

Trois points d'exclamation dans la voix, Pascal/e reprend son livre et s'éloigne, ému/e, jusqu'à ce qu'il/ elle ouvre le livre quelques mètres plus loin et lise la dédicace. Grimace, tête secouée, enthousiasme dégonflé.

Et pour moi, gorgée.

Ce n'est rien de grave, je sais. Pas l'Afghanistan, ni même les profs qui ne savent plus écrire. Un détail parmi les autres dans une vie. Mais c'est ma vie, mon détail, celui qui me détruit, comme tous les autres. Une armée de détails détestables, et cette peau dans laquelle je suis mal, et les malaises, par dizaines, chaque salon, chaque année. Et tout le reste du temps aussi.

Tout ça n'est pas pour moi.

Je voudrais tellement être ailleurs. Dans mon lit ou dans le métro, ou sous le métro. Les auteurs morts sont chanceux; ils n'ont pas à se pointer dans les salons du livre. Ils meurent, font une dernière petite présence dans un salon – funéraire – et n'ont même pas besoin de sourire.

***

« À Émilie,

« En espérant que ce livre t'apportera un peu de bien-être en ces moments difficiles,

« Bonne lecture »

Dédicace de marde. La fille me dit qu'elle vient de se faire laisser par son chum, qu'elle a entendu dire que mon deuxième roman pourrait lui remonter le moral, alors je lui écris une niaiserie comme ça. Pénible.

Et si, par malheur, la fille est cute, j'essaie de faire la conversation en même temps que j'écris, et la dédicace s'effondre :

« À Émilie,

« En espéra que ce live t'appartement un peu de bien ces moments difficulté.

« Bonne lecture
« XX »

Avec des becs, oui. Elle me remercie et, en s'éloignant, elle ouvre le livre pour lire mon mot. Elle est déçue. Grimace, tête secouée, enthousiasme dégonflé.

Et pour moi, gorgée.

De vodka, idéalement.

***

J'ai bu un lac au complet, barbouillé quelques livres, souri faussement la plupart du temps. J'ai répondu aux questions de tous, ai raconté – tout croche – l'histoire de chacun de mes livres à des gens qui s'en foutaient. Je me suis tiré quinze, peut-être vingt clous dans la tempe. J'ai souhaité bonne chance à un gars qui trouvait qu'il écrivait mieux que moi et qu'il méritait plus d'être publié que moi. J'ai toussé. J'ai décapuchonné et recapuchonné mon stylo quatre mille fois. Et là, je trépigne : deux minutes encore et ce sera fini. Mais une fille plutôt jolie s'approche.

— J'ai lu tous tes livres. J'ai trouvé ça pas pire.
— Euh... Merci, j'imagine.
— Je peux te prendre en photo ?
— Bien sûr...

Alors je souris, prêt pour le petit oiseau, mais ce qui apparaît, c'est l'amie qui se cachait derrière, qui s'empare de l'appareil photo et qui attend que mademoiselle j'ai-trouvé-ça-pas-pire contourne ma table et vienne se placer à côté de moi.

— Collez-vous, dit l'amie.
— Bien sûr...

C'est toujours la même chose, avec les photos. Je ne sais pas si je dois mettre mon bras sur l'épaule de la fille ou pas.

J'aimerais être manchot.

Les manchots se crossent comment ?

J'aimerais être mort.

Chapitre 3

Les caves qui écrivent des romans sur des gars qui écrivent des romans

Phil Faulkner grelotte devant la porte de la shop qui porte son nom. Ça lui apprendra à me demander comment je gagnais ma vie avant de vouloir devenir plombier. Je lui ai raconté mon histoire, le plus vite que j'ai pu. Morve au nez.

— Entre donc un peu, dit-il. Je gèle. Je vais te présenter au monde, tant qu'à y être.

Il tire la porte et me fait signe de le suivre. Cette fois-ci, l'apparent donjon ne m'intimide pas, pas plus que le vide de cette pièce ou la chaise aux pattes inégales. Même Jésus ne me dérange plus. Je le fixe dans les yeux, et je me rends compte qu'il souffre plus que moi, là-haut sur son mur jaune. J'enlève mon manteau. Faulkner me regarde de la tête aux pieds, l'air un peu dégoûté.

— Faut vraiment que tu t'habilles plus propre que ça.

Je ne réponds pas. Ce chandail est mon plus beau, c'est troublant. En passant ma garde-robe en revue, je me dis qu'il faudra que je magasine cette fin de semaine, et à l'idée amalgamée de magasiner seul et de dégoûter mon nouveau boss, me revoilà intimidé – je suis solide comme le roc.

— Je suis désolé, dis-je sans trop savoir pourquoi.
— Excuse-toi pas, mais remets plus ça, ce chandail-là.
— Euh… D'accord.
— Fait que, comme ça, t'écris des livres ?
— Oui. Des romans.
— Je les connais-tu, tes romans ?
— Est-ce que vous lisez un peu ?
— Non.
— Alors non.
— De quoi ça parle ?
— Ben… Euh… Ça parle de…

Ça fait six ans qu'on me pose la question, et ça fait six ans que je ne sais pas quoi répondre. Parce que ça parle de rien. De ce rien qui nous écrase au quotidien. De ce rien qui serre les œsophages. Qui nous descend l'un après l'autre sans qu'on le voie dégainer. Ce rien Jesse James qui nous fait longer les murs dès qu'une fille ne nous aime plus, ou nous aime trop.

Mais ça ne se dit pas, comme ça, la morve au nez, le chandail pas assez propre.

— Ça parle d'amour, mais pas cucul.

— D'amour ? C'est un peu…
— Oui, un peu.
— En as-tu vendu plus que deux ?

Il n'a pas l'air de me croire, mais je suis un vrai auteur. Un de ceux qui écrivent de belles choses. Pas un de ces caves qui écrivent des romans qui racontent l'histoire d'un gars qui écrit des romans.

— C'est des bons romans, que j'écris. Je gagne ma vie avec ça, c'est quand même rare au Québec. J'ai même eu des étoiles dans le *Voir*.
— Combien ?
— Je m'en souviens plus trop, mais il y en avait. Pis y ont aussi parlé de moi dans *Châtelaine*.
— Je lis pas ça.
— Moi non plus, mais…
— Ça va, je comprends. Pour un *nobody*, t'es quelqu'un.

Pour un *nobody*, je suis quelqu'un. Voilà.

Comme tout le monde.

***

Je me mouche. Les pieds de Phil Faulkner grincent sur le plancher. Il cogne à la porte du donjon, attend quelques secondes en essuyant le dessous de son nez avec sa manche. Le long cure-dent à visage de tueur apparaît.

— Va chercher Patrice, commande Faulkner en refermant immédiatement la porte.

Silence. Je ne sais pas où regarder. Il n'y a rien à regarder. Une araignée morte dans le coin. Une vis qui dépasse du mur. Un vent léger, résidu transparent d'un extérieur nuageux. Faulkner se racle la gorge. Je lève la tête.

— T'apprendras sur le tas.

Je hoche la tête, un quart de sourire poliment placé dans le bas de la face. J'imagine que le tas en question est de l'autre côté de cette petite porte que j'ai décidé de fixer, faute de mieux.

— Gni.

Lundi, j'apporterai du WD-40 pour les charnières. C'est important d'être proactif. C'est ce que m'a dit un gars de ressources humaines avant de se suicider de *boredom* en préparant des paies.

La porte gnisse donc pour une des dernières fois de sa vie. Le grand obscur anguleux émerge, suivi du gars le plus neutre au monde. Un peu grassouillet, cinq pieds sept et demi, lunettes à la mode d'il y a six ans, chemise à manches courtes, regard vide, charisme dans le négatif. L'image exacte que je me fais d'un Patrice, en fait. Sur une échelle de zéro à George Clooney, une fille lui donnerait probablement un B. Ce qui ne veut rien dire, je sais – je deviens mal à l'aise dans une petite pièce avec trois hommes que je ne connais pas, dont un tueur et un millionnaire, et je me mets à penser n'importe comment. En plus, pendant trois bonnes secondes, personne ne parle. Ils me fixent, tous les trois, l'air de se demander pourquoi je suis en train de perdre leur temps. Je me mets à trembler, ne sachant plus si je dois leur parler ou me rouler en boule dans le coin, camarade de l'araignée décédée.

Enfin, Phil Faulkner toussote en souriant, manifestement fier de l'effet dramatique de son silence imposé.

— Les gars, je vous présente l'écrivain. Il va travailler avec nous à partir de lundi.

Puis il se tourne vers moi en pointant vaguement ses acolytes.

— Ça c'est Patrice, pis t'as déjà rencontré Moustache.

Moustache n'a pas de moustache, mais je n'ose pas poser de question. Je serre leurs mains tendues et, alors que les phalanges-phalangines-phalangettes sans chair du dénommé Moustache empoignent ma main, son visage s'illumine d'un sourire qui me le rend immédiatement – et étonnamment – sympathique. On se croirait à *Extreme Makeover de ta face*. Lui qui avait l'air d'un tueur quelques minutes plus tôt, il a maintenant l'air de ces gars qu'on croise dans la rue et qu'on voudrait serrer dans nos bras – pas que ça me soit déjà arrivé, mais je regarde souvent la télé.

— Bienvenue dans l'équipe.
— Merci.
— Bienvenue, murmure à son tour Patrice, visiblement contrarié de s'être déplacé pour si peu.

Les deux hommes replongent rapidement dans le donjon, me laissant seul avec Phil Faulkner.

— Ils ont l'air gentils, dis-je.
— Fie-toi pas aux apparences.
— Je...

— Y a aussi Marie-Claude, mais elle est pas là aujourd'hui. Je te la présenterai lundi.

— OK.

— Trente-cinq mille, ça te va-tu ?

— Trente-cinq mille quoi ?

Faulkner se mord la lèvre supérieure.

— Es-tu sûr que t'es un écrivain, toi ? T'as pas l'air trop intelligent, je trouve.

— Je peux vous en présenter plein, des écrivains pas trop intelligents…

— J'en ai déjà un dans la face, apparemment.

— Non, c'est pas ça que je…

Fuck. Si mon chandail lui avait plu, je serais bourré de confiance, et d'une seule réplique je lui montrerais que je ne suis pas si épais. Mais il m'intimide et ça sort tout croche. Chandail laid, intelligence moindre, couette rebelle, tout est un facteur de destruction de mon estime de moi.

C'est de ta faute, ça.

Même le souvenir de ton air joliment baveux quand je disais une niaiserie ne me remonte pas le moral. Ça me fait sourire, mais je me sens triste. C'est encore pire.

Faulkner rabat ma fausse joie.

— Je parlais de salaire, dit-il le plus bêtement possible.

— Euh. Oui, oui, c'est parfait.

Je n'y avais pas vraiment pensé. Et, de toute façon, je soupçonne qu'un millionnaire qui ne paye pas l'Orange

Crush de ses employés ne doit pas être très ouvert à la négociation. Il me tend la main. Je la serre le plus fort que je peux, virilité naissante du néo-plombier oblige.

— Y a juste une dernière chose que j'aimerais savoir, lance Faulkner.
— Oui ?
— Si t'écris des livres pis que ça marche, tes affaires...
— Oui ?
— Pourquoi tu veux changer de job ?

Je prends quelques secondes pour réfléchir.

— J'aime pas ça, écrire. En fait, écrire, c'est correct. Ce que j'aime pas, c'est tout ce qui va avec. Les salons du livre, les dédicaces, ces affaires-là.

À son tour, Phil Faulkner réfléchit.

— Ça, c'est ce que tu veux te faire croire. La vraie raison, c'est quoi ?

Chapitre 4

L'inévitable chapitre sur mon ex

La vraie raison, c'est toi, bien sûr.

Toi, avec ton sourire soleil et tes yeux lumière. Toi, ma Miss Pac-Man qui t'es enfuie d'un côté sans ressortir de l'autre. Toi, avec ma vie entre tes doigts.

Toi qui m'as crissé là.

On était parfaits ensemble. Tu t'en souviens, toi et moi pendant cinq ans ? J'étais parfait pour toi, tu souriais tout le temps. Et tu étais parfaite pour moi, tout court. Cinq ans d'imperfections, ça rend parfait.

On a passé toute notre relation à trouver l'autre fatigant. Cinq ans à s'engueuler, à se réconcilier, à se reprocher chaque travers, à s'aimer chaque défaut. De petits accrocs en guerres mondiales, on est devenus deux tortues sous une même carapace. Survivre ensemble à ces guerres qu'on menait l'un contre l'autre avait fait de nous les soldats les plus invincibles. Tellement de chialage, de menaces, de crises, tellement qu'après cinq ans, plus rien ne pouvait nous atteindre. Tout ça nous a rendus heureux, d'un bonheur en béton armé.

On était à l'épreuve de tout, surtout de nous.

— On est immortels, que tu m'avais dit devant le dépanneur sur Van Horne.
— On est immortels, que j'avais répété pour te taper sur les nerfs.

Tu avais souri, grenade à la main.

***

Te souviens-tu de toutes les fois où je t'ai dit que tu étais la plus belle femme au monde ? Je mentais. Si j'étais Pinocchio, mon nez me poignarderait le dos : tu n'es pas si belle que ça. Chaque fois qu'on entrait dans un restaurant, les clients déjà assis se retournaient, nous regardaient et replongeaient dans leurs assiettes. Puis, plus rien. Si tu avais été une belle fille, les gars se seraient retournés une deuxième fois.

Moi, ça faisait mon affaire. Chaque fois, en entrant dans un restaurant, je les trouvais épais de ne pas voir ce que moi, je voyais. De ne pas savoir ce que je savais. D'emblée, j'étais meilleur qu'eux, dès les premiers pas dans n'importe quel restaurant, meilleur qu'eux parce que j'avais à mon bras la fille la plus hot au monde, et qu'eux n'espéraient que la fille la plus belle. Ils ne connaissaient pas ton regard en clin d'œil quand quelqu'un dit « grosso mollo ». Ils ne connaissaient pas ton sourire amusé quand *It's Raining Men* passe à la radio. Ni le frémissement de ton sourcil droit quand une main se pose sur ta hanche. Ni tes crocs tranchants quand ton cousin te dit que Richard Desjardins, au fond, y est assez ordinaire – crisse que je t'aime.

Tu étais parfaite pour moi, malgré les vagues et leurs creux, malgré les bouts d'ongles que tu laissais traîner dans le lavabo.

Tu es parfaite.

Mais les immortels finissent toujours par mourir, si ce n'est par eux-mêmes, par l'absence des autres. Tu es partie un soir de canicule, et on s'est effrités en miettes de mortels. En t'enfuyant par la fissure dans le béton, tu as fait naître un trou sombre qui m'aspire l'intérieur depuis trois mois.

C'était le 4 août, en sous-vêtements. Des gouttes de sueur me chatouillaient le dos, et tous les popsicles du monde ne pouvaient t'empêcher de chialer.

— Pourquoi t'as pas voulu acheter un air climatisé au printemps ? Ça fait trois ans qu'on dit qu'on va en acheter un, pis on finit toujours par attendre qu'il fasse trop chaud, pis y en a plus au Canadian Tire.
— On aurait pu aller en chercher un ailleurs.
— Si on était allés plus tôt, oui. Mais là y était cinq heures moins quart…
— C'est toi qui traînais. C'était-tu nécessaire de faire la salade cet après-midi ? On aurait pu la faire ce soir, non ?
— On avait dit qu'on la ferait cet après-midi.
— Oui, mais on avait pas prévu qu'on voudrait acheter un air climatisé.

C'était nous, ça. Des poignards partout, mais avec le sourire. Micro-coupures qui ne saignent même pas.

— On ira demain matin.
— C'est maintenant que j'ai chaud.

Tu babounais cute, j'ai voulu t'embrasser, tu m'as repoussé, c'en est resté là. On a mangé la salade avec une feuille d'iceberg sur la nuque. Ton corps luisait comme dans les catalogues de maillots de bain, et je te trouvais sexy, malgré la laitue dans ton cou et tes grognements en forme d'y-fait-chaud.

Quand on est allés se coucher, je t'ai dit que, tant qu'à transpirer, on serait aussi bien de faire l'amour. Tu n'étais pas d'accord, évidemment, mais c'était pour la forme.

Le cul avec toi, ce soir-là, a été formidable, comme toujours. Orgasme rafraîchissant. Les baises d'été sont plus crues que celles d'hiver. L'hiver, on missionnaire, collés pour se réchauffer. L'été, tout ce qui compte, c'est de se toucher le moins possible ; ça cogne plus fort.

Dans la douche qu'on a partagée en silence, tes gestes étaient lents, comme si tu voulais retarder le moment où on retournerait se coucher. J'en suis sorti, me suis séché, et tu y étais encore, douce eau sur tes seins qui rigolait. Je t'ai attendue dans le lit, en me forçant pour ne pas m'endormir, parce que je savais que tu aimais qu'on se pose quelques questions de *Trivial Pursuit* avant de tomber. Tu tardais, je me suis inquiété. Je suis retourné dans la salle de bain.

— Es-tu correcte ?
— J'arrive.

Étendus côte à côte dans le lit, à regarder le plafond, tu as laissé tomber *Trivial Pursuit*, tu as inventé des questions de ton cru.

— Qu'est-ce qu'on fait ?
— Pardon ?
— Pourquoi on continue ? Pourquoi on s'acharne à rester ensemble ?

J'ai eu mal instantanément. Je savais que ce n'était pas une engueulade qui suivrait. Tu étais trop calme, trop résignée. Ce n'était pas une de nos guerres que tu voulais amorcer, c'était l'armistice que tu voulais signer. Et la paix, pour nous, ça ne pouvait être que la fin.

— C'est fini, que tu m'as dit en t'assoyant sur ton rebord de lit.
— Pourquoi ?
— Ça marche plus.
— Mais on est heureux, non ?
— Non.
— On est immortels, non ?
— Non plus.

Je me suis assis sur mon rebord de lit. J'ai regardé par la fenêtre et j'ai vu la chaleur et ce doux vent invisible qui t'attendaient dehors.

— Je peux changer, que je t'ai dit.
— Je te demande pas de changer.
— Je peux arrêter d'écrire. Je peux lâcher tout ça, ça nous ferait du bien. Tu me dis tout le temps que t'es plus capable de mon métier, de ma vie, de mes nuits à faire semblant d'écrire, de mes journées à stresser à cause des salons du livre. Tu me dis tout le temps

que ça te fait chier que je sois auteur. Je peux arrêter tout ça.

— C'est tout ce que tu sais faire. Anyway ça changerait rien, c'est pas pour ça que ça marche plus. Ça marche juste plus. Je suis désolée. Je vais aller dormir à l'hôtel ce soir.

Tu t'es levée, tu t'es habillée et tu es partie.

Cette nuit-là, j'ai dormi comme un bébé : en me réveillant toutes les deux heures pour boire.

Chapitre 5

Trois pantalons pas de poches

Je suis seul dans un magasin de vêtements propres, dans un centre commercial en vogue, dans un système solaire qui me dégoûte. L'univers m'en veut, c'est évident. J'ai une job de plombier qui exige que je m'achète des vêtements chic – quelqu'un, quelque part, doit être crampé.

Je suis seul, mais on est des milliers. C'est samedi après-midi, et Montréal s'est donné rendez-vous dans le rayon des chemises. Je regarde un vendeur se démener auprès d'un homme qui sait beaucoup trop ce qu'il veut pour pouvoir le trouver, et je me dis que j'aimerais bien savoir ce que je veux. Dans la vie, et ici.

Je tourne autour des chemises, tâtant une manche ici, un bouton là, absolument convaincu que je ne m'en sortirai pas. Ça se fait, travailler torse nu ?

— Est-ce que je peux vous aider ?

Le vendeur s'est enfin libéré de son connaisseur en chemise, et il me sourit en soupirant, comme si j'étais son complice parce que je l'ai vu se démener plus tôt. Il pense sans doute que je serai un client plus facile – doigt de vendeur, je te présente œil de vendeur.

— Oui, tu peux m'aider.

Je ne sais pas pourquoi je le tutoie, il est plus vieux que moi, plus grand, mieux habillé. Mais il a les cheveux blonds et un petit air Billy Idol, ça le rend tutoyable à mes yeux.

— Je viens d'avoir une nouvelle job, et il faudrait que... En fait, mon boss m'a dit qu'il fallait que je m'habille plus propre.
— Vous êtes à la bonne place. Quel genre de vêtements il vous faut ?
— Je sais pas... Pantalons, chemises. Ce genre de choses-là.
— Euh... d'accord. Qu'est-ce qui vous plaît ? Ce genre de chemises-ci ?

Il me pointe un genre de chemise. Je n'ai aucune idée. Au sujet de rien.

— Écoute, ça doit faire six ans que j'ai pas magasiné du linge tout seul. Il va falloir que tu m'aides. Ça sera pas compliqué : dis-moi quoi acheter.
— Euh...
— Ma blonde m'a laissé il y a trois mois.
— Je suis... euh... désolé ?
— C'est elle qui choisissait mes vêtements.

— OK. Je vois.

Et moi, je vois qu'il aurait préféré que je lui pointe une chemise ou deux, et hop ! on les enfile dans la cabine d'essayage, tout est beau, y compris sa commission.

— Je suis désolé, dis-je. C'est juste que…
— Non, je comprends. Je vais vous aider, je suis là pour ça.

Il ne sourit pas, mais il n'a pas l'air trop découragé. J'ai cet air sympathique qui séduit. Tu me l'as toujours dit, dès que j'ai l'air un peu désemparé, on se rue sur moi pour m'aider. Phil Faulkner l'a fait avant-hier, Billy Idol le fait aujourd'hui. C'est pratique.

— C'est quel genre d'emploi ? me demande le vendeur sur l'air de *White Wedding*.
— Plombier.

Perplexe.

— Une job de bureau pour une entreprise de plomberie ?
— Non, non, une job de plombier. Ben… apprenti plombier.
— Et il faut que vous soyez…
— … habillé propre. Je sais, c'est bizarre. Je comprends pas trop moi non plus. Mais je vais pas m'obstiner avec eux, hein ?

Moins perplexe.

— Effectivement. On va vous trouver quelque chose de bien. Casual chic, disons ?

Je fais oui de la tête sans savoir de quoi il parle. Je pense à toi. Je m'ennuie.

***

Tu es revenue le lendemain matin, après avoir dormi à l'hôtel. Je sentais le fond de tonne, j'avais les yeux cernés jusqu'aux semelles. J'étais détruit : la nuit ne t'avait pas fait changer d'avis. Tu bougeais machinalement, tu ne souriais plus, toi qui souriais tout le temps. Et ce vide dans ton regard. Tu étais résignée. Je n'avais pas envie de m'engueuler, ça fait partie de la paix. Quand tu m'as proposé de m'en aller, quand tu m'as dit que ce serait mieux que ce soit toi qui gardes l'appartement, j'ai accepté. Pendant la journée, j'ai pris tout ce qui m'appartenait – pas grand-chose – et je t'ai laissé tout ce qui nous appartenait – grand-chose. Je suis allé directement à l'hôtel pour continuer à avoir mal en paix.

Je n'allais pas y survivre, personne n'y survit.

On meurt toujours un peu d'une rupture. On flotte un temps et on finit par l'oublier, en un mois, un an, dix ans, mais on reste toujours un peu mort, par morceaux. Trop de ruptures, c'est trop de morceaux, et on en meurt au bout de la vie, rempli de douleurs oubliées. C'est ça, le cancer. C'est les morceaux de douleur qui s'accumulent pour nous faire chier, et qui nous tuent de l'intérieur.

Je n'allais pas y survivre. Dans le taxi, en agonie, avec mes valises et mes vieux sacs, je sentais mes vaisseaux sanguins s'emplir de larmes, et j'ai eu envie de me battre. Me battre contre toi, contre ta décision unilatérale, contre ton constat que je ne partageais pas. J'avais toute la vie pour mourir ; entre-temps, il fallait que ça change, c'était à mes yeux une évidence. Il fallait changer ce que nous étions, ce que j'étais, vider toute notre existence pour en construire une nouvelle. Je n'avais pas toute ma tête, évidemment, mais il fallait que j'occupe mon esprit à quelque chose, à quelque chose d'utile. Nous. Un grand changement, un tableau blanc.

C'est comme ça que la plomberie m'est apparue comme une épiphanie : la représentation de ce qu'il y avait de plus distant de moi. Je n'ai pas pensé plus loin.

Devenir plombier pour ne plus être auteur, pour te prouver que je pouvais changer.

Un petit bout d'idée, rien que je pourrais mettre en œuvre du creux de ma douleur, mais un bout d'idée que je laisserais germer pendant quelques mois, jusqu'au matin où je pourrais me lever, sortir, aller voir Phil Faulkner. Tu te souviens de Phil Faulkner ? C'est le gros monsieur qui fumait des menthols devant la shop de plomberie en face de chez nous, et qui te faisait rire sans que tu saches pourquoi.

Devenir plombier pour te prouver que je peux changer.

C'est épais, je sais. Mais même trois mois de réflexion n'ont pas réussi à me faire dévier de mon plan.

***

— Penses-tu qu'on peut changer ?
— Se changer ? Oui, dans la cabine d'essayage, juste là.
— Non, changer, tout court.

J'ai sur le bras huit chemises, trois pantalons et quatorze questions. Des questions sur la mode, sur ma vie, sur l'amour. Sur la vérité.

— Je comprends pas, avoue Billy Idol.
— Je veux dire… Penses-tu qu'un gars peut changer assez pour que son ex veuille revenir avec lui, et que ça puisse fonctionner ?

Billy réprime une grimace. Sans dire un mot, il touche mon coude pour m'orienter vers les cabines d'essayage, manifestement découragé d'avoir affaire à un autre client qui ne se contente pas d'acheter sans dire un mot le premier morceau de tissu qui lui est offert. J'ai sans doute mal choisi mon confident, mais je n'abandonnerai pas.

— Si je change vraiment beaucoup, ça peut pas la laisser indifférente, hein ?
— En fait, c'est pas pour une nouvelle job que tu magasines du nouveau linge… C'est pour impressionner ton ex.
— Non, non. Le linge, c'est réellement pour impressionner mon nouveau boss. Mais ma nouvelle job, elle… Ça, c'est pour impressionner mon ex.
— Tu veux impressionner ton ex en devenant plombier ?
— Absolument.

L'incrédulité et le découragement se fondent dans le regard de Billy Idol. Il pointe la cabine numéro quatre.

— Je te laisse essayer ça…
— Ben non. Il faut que tu restes, c'est maintenant que j'ai besoin de toi. Je suis pas capable de savoir tout seul si ça me fait bien ou pas.

Il hésite, mais il sait très bien qu'il n'a pas le choix, le client étant roi, si pion soit-il. Je ferme la porte. J'entends Billy soupirer de l'autre côté.

— Je sais que c'est weird, dis-je.

Je parle assez fort pour qu'il m'entende – tout le monde m'entend – je m'en fous.

— C'est pas le fait que je sois plombier qui va l'impressionner. C'est le fait que j'aie changé complètement. J'étais écrivain, avant. Peut-être que t'as lu un de mes livres ?
— Je lis pas.
— C'est pas grave. Elle détestait tellement ça, que je sois écrivain. Si je deviens autre chose complètement, elle va voir que je suis prêt à recommencer à zéro pour que ça puisse remarcher entre nous deux...

Billy Idol se tait. J'enfile une chemise orange. Dans la cabine d'à côté, un gars décide de s'inviter dans la conversation.

— Pourquoi tu veux reprendre avec ton ex, *man* ? Ça marche jamais, ces affaires-là.
— C'est parce que les gens essayent pas assez fort.
— Tu penses que t'es différent des autres ? Tout le monde pense que ça peut marcher pour eux. Mais ça marche jamais. Tu perds ton temps, *man*.

Monsieur Man a raison, je le sais. Mais si je n'essaie pas, si je n'y crois pas pour vrai, il ne me reste plus rien. J'ai besoin de croire en quelque chose, aujourd'hui dans ce centre commercial, avec une chemise orange trop petite pour moi sur le dos.

— Elle est trop petite, je pense, dis-je à Billy en entrouvrant la porte de la cabine.

— Montre.

J'ouvre grand, comme chez le dentiste mais pas vraiment.

— Elle est pas trop petite du tout. Ça te va super bien, ça. Essaye les autres.

— Vraiment ?

— Vraiment.

Croire en quelque chose. Qu'une chemise trop petite me fait. Que la plomberie va changer notre vie. Que mon salut passe par des confidences à des inconnus, comme si j'étais à l'aise dans la vie.

Tout va bien.

Vraiment.

***

Toi qui sais toujours quoi dire, tu n'auras aucune réplique.

Dans une semaine ou deux, tu vas être en train de pelleter l'escalier devant chez toi – devant chez nous, et tu vas me voir sortir de P. Faulkner, plomberie générale, et tu vas vouloir savoir ce que je fais là. Je travaille là, que je vais te répondre, et tes yeux vont briller parce que tu vas comprendre que j'ai arrêté d'être un crisse d'auteur à marde qui perd son temps à longueur de vie. Tu vas m'inviter à prendre un café, et quand je vais enlever mon manteau, tu vas voir ma chemise orange trop petite, et tu vas fondre. Nouvelle vie, amour éternel et petits biscuits qui font du bien.

J'ai hâte.

***

Je suis tellement perdu, tellement. Je suis celui qui n'est presque pas sorti de chez lui pendant trois mois, catatonie occidentale. Celui qui a pleuré chaque jour. Celui qui a honte de faire tinter des cloches quand il pousse une porte, qui se confie à un vendeur de vêtements et qui s'accroche à des lubies de contes de fées. Prince médium-charmant. On ne se relève pas d'une peine d'amour sans échapper par terre quelques tonnes de confiance.

Je suis perdu, je me sens à l'étroit. Mais je vais m'en sortir.

Je vais nous en sortir.

— Sont toutes trop petites.
— Montre-moi-les pareil. Fait que... Ton boss le sait-tu, que c'est pour ça que tu veux travailler là ?
— Parce que c'est en face de...
— Oui.
— Non, je lui ai juste dit que je voulais me réorienter.
— Celle-là te va super bien aussi. Essaye le pantalon gris avec.
— J'ai de la misère à bouger, dedans.
— Mais ça te va vraiment bien. Essaye le pantalon, tu vas voir.

Billy Idol s'est mis à me tutoyer au milieu de mes élucubrations, exactement au moment où le gars de la cabine d'à côté est parti. « De quoi il se mêle, lui ? » m'a dit Billy en souriant, et j'ai compris que, malgré sa résistance, ça ne l'incommodait pas trop que je me confie à lui.

— Pis ça te dérange pas d'arrêter d'écrire ?
— As-tu une ceinture pas loin ?
— Attends-moi deux secondes.

Non, ça ne me dérange pas. Je suis rendu là. Rendu à pawner ma vie, à me débarrasser de ce qui traîne, à l'échanger contre presque rien. Ce n'est pas difficile : dès que j'ai semé cette petite idée de changer pour toi, la sous-idée de changer pour moi a germé. L'idée que tout passait un peu par là, par un pawn-shop dans lequel je peux me débarrasser de mon quotidien. Échanger cette vie-ci contre des pinottes, pour en commencer une nouvelle avec toi. Et de toute façon, si je dois y croire, à toi et moi, il faut que je croie en mon moyen d'y arriver.

— Tiens.
— Merci.
— Pis plombier, ça te tente vraiment ?
— Un peu, oui. Je sais pas. Ça fait quelque chose de nouveau à apprendre. Quelque chose de manuel, pas trop de cerveau…
— T'aurais pu devenir vendeur…
— Le monde porte vraiment ça, des pantalons comme ça ? Y a même pas de vraies poches.

Je me dirige vers la caisse avec trois pantalons pas de poches et quatre chemises de contention. Ce qui est pratique, c'est que, si un jour je tue tout le monde à la job dans un élan de folie, je serai déjà habillé adéquatement à mon arrivée à l'hôpital psychiatrique.

Chapitre 6

Blair Witch Plombier

Il n'y a presque plus de neige, comme si la tempête d'il y a quatre jours n'avait pas eu lieu, comme si, collectivement, on avait rêvé à l'hiver pour éviter l'automne. Mes bas de pantalon traînent sur le plancher trempé de l'autobus et, en loop dans mon iPod, Fred Fortin me tient éveillé. La dame à côté de moi n'a pas cette chance. Elle ronfle si fort qu'elle fait vibrer la mousse du banc. Le trajet me semble plus long que quand je le regardais sur Google Maps. La présence des gens autour, immobiles, la neutralité ambiante, les croûtes dans le coin des yeux, l'odeur du café, la chauffeuse qui freine trop sec, les épaules qui se touchent, tout ça étire le temps. Tout ça, et la peur. Première journée, nouvelle job et, surtout, première fois en quatre siècles que je travaille de neuf à cinq. Ça fait peur. Blair Witch Plombier.

Il est huit heures trente, je suis en avance. La petite affiche dans la porte indique que c'est fermé. Je jette un regard vers chez toi. À cette heure-là, tu es sous la douche. Tu sens bon. Je tire la porte de P. Faulkner, plomberie générale ; elle n'est pas verrouillée. Les cloches tintent.

— Salut Jésus.

Je suis stressé, mais je vais déjà mieux. Mieux que n'importe quel jour des trois derniers mois. C'est le début de quelque chose, je le sens.

De mon sac, je sors une petite canette de WD-40, et j'ai envie d'en asperger les clous du Christ pour prévenir la rouille. « Un autre jour », me dis-je. Aujourd'hui, je ne m'occupe que des charnières de la porte du donjon.

Pschiit en haut, pschiit en bas, je suis fier de moi.

Je range le WD-40 et je cogne à la porte. J'entends la toux de Moustache, puis deux pas, et la porte s'ouvre, sans gni. Moustache sourit spontanément.

— L'écrivain, fait-il en touchant la crête d'un chapeau imaginaire.
— Moustache.
— Entre.

Je pensais être le premier arrivé ; ils sont tous là, dans l'ombre, l'air sombre des criminels qui viennent d'enterrer un corps. Moustache et son chapeau invisible, Phil Faulkner écrasé dans un sofa, Patrice sur une chaise de bois, plongé dans l'écran d'un ordinateur. Et Marie-Claude, minuscule parcelle de femme, qui oublie son air lugubre dès qu'elle me voit. Elle s'avance vers moi.

— Allô ! Moi c'est Marie-Claude. Bienvenue chez nous ! C'est pas grand-chose, mais tu vas voir, c'est le fun.

Je souris poliment sans dire un mot, intimidé par le regard des trois autres, que je sens lourd à défaut de bien le distinguer. Il fait sombre, presque noir, dans cette grande pièce poussiéreuse. Deux ampoules nues, aucune fenêtre, et la lueur bleue mourante de l'écran d'ordinateur. De quoi se pendre, si ce n'était de la Compagnie créole qui émane de haut-parleurs enfouis aux quatre coins de la pièce.

C'est donc ici que je travaillerai. Ici que je serai occupé à ne pas être auteur.

— Ici, c'est le QG. Tu peux t'asseoir là, dit Marie-Claude avec un enthousiasme que ne partagent pas les autres.

Je m'assois là, sur un banc de bois, dans ce qui deviendra mon coin, juste à côté du mur d'outils, à l'opposé du sofa de Phil Faulkner, pas très loin du banc de Moustache, qui semble mener la garde aux abords de la porte. De mon coin, je peux voir le quart de l'écran de Patrice, mais je n'y distingue pas grand-chose. Des chiffres, des lignes qui s'accumulent au rythme des plic plic du clavier, du texte. À première vue, ça ressemble à une liste d'équipement. Ou à un rapport comptable. Ou à une version sophistiquée de Démineur.

— Si t'as des questions, tu peux demander à n'importe qui, lance Marie-Claude.

— Merci.

— Belle chemise, en passant.

Je ne sais pas si elle niaise. Elle porte un t-shirt, Moustache aussi. Patrice, lui, a opté pour une chemise bleue et une cravate mauve. Je cherche du regard l'approbation vestimentaire de Faulkner. Il fixe l'écran de son cellulaire.

L'air est compact, ici. Je tousse. Le bruit des touches qu'enfonce Patrice avec violence résonne dans toute la pièce, enterrant presque la Compagnie créole. Marie-Claude est allée s'asseoir à côté de Patrice. Phil Faulkner fixe maintenant le mur, soit dans la lune, soit très concentré, soit mort. Moustache tape du pied au rythme de la musique. Et le temps s'arrête, comme si le moment que l'on vit depuis cinq minutes se répétait sans arrêt. Il ne se passe rien, personne ne bouge, personne ne parle. Que les doigts de Patrice et les pieds de Moustache, et la musique qui s'éternise, la Compagnie créole c'est bon pendant deux minutes, après ça écorche le tympan, torture par le bonheur.

Je cherche un signe, quelque chose à comprendre, quelqu'un à aborder. Je ne sais même pas à quoi peuvent servir ces outils accrochés sur le mur à ma gauche, réceptacles à poussière et générateurs de rouille. Si je n'étais pas dans une shop de plomberie, je croirais que ce ne sont pas de vrais outils. Peut-être des artefacts d'un autre temps, notre petit musée de la civilisation à nous. Tiens, un tournevis. Ça me rassure.

Je suppose qu'on attend un client. Les temps sont-ils durs pour l'industrie de la plomberie ? Les tuyaux résistent-ils mieux à la vie que les hommes ? À bien y penser, on n'a jamais eu besoin d'un plombier, nous. Mais, si les contrats se font rares, pourquoi m'avoir engagé ?

J'aimerais pouvoir poser ces questions, mais l'atmosphère me suggère que ce n'est pas le moment. J'attends. Il se passera bien quelque chose.

Mais non.

Tout reste immobile, les autres et moi et le temps, et toujours ce clac clac des touches du clavier que Patrice pétrit.

C'est la plus étrange première journée de job de ma vie.

Enfin, au bout d'une heure d'immobilité collective, Phil Faulkner remue, mais ce n'est que pour sortir de sa poche un paquet de cigarettes au menthol. Il se lève, se dirige vers la porte sans dire un mot et la pousse, haussant le sourcil en constatant qu'elle ne grince pas.

Dès qu'il disparaît, j'essaie d'engager la conversation avec le collègue le plus proche.

— Moustache ? Qu'est-ce qu'on est supposés...
— On attend. Pas de stress...

Un vague sourire apparaît sur son visage, comme une lente irruption dans la vraie vie.

— Qu'est-ce que t'as fait en fin de semaine ? demande-t-il.

Il s'adresse à moi comme si de rien n'était, comme si j'étais arrivé au travail il y a deux minutes et qu'on se connaissait depuis toujours.

— Euh... Rien... J'ai magasiné.
— Cool.
— Toi ? Qu'est-ce que t'as fait ?
— Rien.
— Cool.

Si j'étais quelqu'un d'autre, cette conversation-là m'aurait déplu. Quelque chose de trop vide, trop court, trop tard, qui m'aurait dérangé. Mais je suis moi, et c'était, aujourd'hui, avec ma tête et ma vie, la plus belle conversation que je pouvais avoir. Quelqu'un qui me demande ce que j'ai fait, sans me demander comment je vais, c'est parfait. Je n'ai pas besoin de plus. Il y a, dans ces quelques mots insipides, tout ce dont j'avais besoin pour me sentir serein, pour me sentir bienvenu ici. Pour sentir que je fais partie de la gang. Maintenant, je peux cesser d'attendre tout seul et me mettre à attendre avec eux. Attendre quoi ? Je ne sais pas. Pas grave.

Phil Faulkner entre dans le QG, poursuivi par une odeur mentholée qui me lève le cœur.

Ça fait du bien d'avoir envie de vomir pour une autre raison que toi.

***

— C'est là.

Moustache me pointe la porte de la salle de bain. Je me lève, m'y dirige. La porte est juste à côté du sofa où est de nouveau assis Phil Faulkner. Alors que je m'approche, il pointe mes vêtements, puis lève le pouce. À l'intérieur de moi, un petit gars danse. Un poids de moins, un bonheur de plus, je suis habillé propre aux yeux du boss. C'est une couche de plus sur mon tout nouveau sentiment d'appartenance, l'impression que je fais partie de quelque chose – on veut toujours faire partie de quelque chose –, l'impression que je fitte dans le moule avec cette chemise qui m'empêche de bouger confortablement.

Ces brindilles de confiance que me lance Phil Faulkner, il ne le sait pas, mais elles me font du bien.

Je crois que je vais aimer cet emploi. Et si, en plus, il consiste à rester assis sur un banc à ne rien faire, c'est tout à fait dans mes cordes.

***

La salle de bain est propre. Tellement propre. Et éclairée comme chez Lise Watier. Quand j'ai refermé la porte derrière moi, j'ai eu l'impression d'être tombé chez le voisin qui, à en croire le petit panier de pot-pourri sur le réservoir de la toilette, serait davantage une voisine. Tant de poussière et si peu de lumière de l'autre côté de la porte, tant d'éclats de propreté, je peux même me voir dedans, de ce côté-ci.

Avant de retourner dans le QG, je prends une grande respiration. Je n'expire qu'une fois assis sur mon banc, soupir bruyant. Moustache se tourne vers moi en riant.

— Moi aussi, j'ai retenu ma respiration la première fois que je suis sorti des toilettes. On s'habitue au *gap*, tu vas voir.

— C'est quelque chose...

— Ouep.

J'aimerais continuer à converser avec Moustache, mais je n'ose pas approcher mon banc du sien, et la distance qui nous sépare m'oblige à parler fort. Je n'ai pas envie que tout le monde entende tous les riens que j'ai à dire. Je me contente de reprendre mon souffle en silence.

Cet album de la Compagnie créole est-il éternel ?

Oui. Il semble bien que oui.

Il est 11 h 10 – dans une minute je pourrai faire le vœu de me faire amputer les tympans – et il ne s'est toujours rien passé. Si peu de mouvement, si peu de paroles. J'ai peur de m'endormir. Depuis que j'ai seize ans, ma conscience professionnelle m'a toujours dicté qu'il était tout à fait acceptable d'être payé pour ne rien faire, mais plutôt répréhensible d'être payé pour dormir. Somnoler, ça peut passer, si personne ne regarde. Ce qui n'est pas le cas ici.

Mon cerveau vacille. Il faut que je le pince. N'importe comment.

— Moustache ?
— Oui ?
— T'sais, les dinosaures ?
— Oui ?
— On a tous appris qu'ils ont existé pendant un bout, puis qu'ils se sont éteints à un moment donné. Non ?
— Oui.
— De la façon dont ils nous l'apprennent, tu trouves pas qu'on dirait qu'ils ont juste été là un petit bout de temps ?
— Je sais pas…

— Ils ont été là pendant deux cents millions d'années. Te rends-tu compte comment c'est long, ça ?

— Hm…

— Nous, on va s'éteindre bientôt, sûrement. Mille ans, gros max. Ben on n'aura jamais été là aussi longtemps qu'eux. Même pas proches. Fait que… On se pense ben ben importants, mais sur l'ensemble de la vie de la planète, les dinosaures nous clenchent complètement.

— C'est vrai. C'est cool.

— Tu trouves ça cool, toi ?

— J'aime ça les dinosaures, moi.

Comment ne pas aimer un adulte qui aime les dinosaures ?

***

11 h 35. On entend les cloches tinter de l'autre côté de la petite porte. Marie-Claude se redresse, Phil Faulkner se lève, Patrice se retourne, Moustache se déplie. L'hibernation est finie, semble-t-il. Enfin de l'action. Je replace tant bien que mal un pan de ma chemise et vérifie que le col est bien centré.

Moustache se lève lentement, attend quelques secondes, puis ouvre la porte.

— Bonjour mademoiselle, dit-il. Entrez.

Une femme pénètre dans le QG en saluant bruyamment l'espace en général, sans regarder l'un de nous en particulier. Elle traverse la pièce en se déhanchant avec une classe économique, rouge à lèvres débordant d'un côté, accent de mécanicien débordant de l'autre. Je suis certain de l'avoir déjà vue quelque part, mais ça ne veut rien dire. Au fil des salons du livre et des conférences, j'ai vu soixante-dix mille personnes. Quand on a vu soixante-dix mille personnes, on a vu tout le monde. Alors quand quelqu'un apparaît dans mon champ de vision, comme cette femme maquillée trop rapidement, je suis toujours convaincu de l'avoir déjà vu, mais je ne sais jamais où. C'est peut-être une lectrice, une fan, une visiteuse de salon qui m'a ignoré, ou ma cousine. Je n'en ai aucune idée. J'ai vu tout le monde, je ne me souviens de personne.

La femme serre la main de Phil Faulkner en s'attendant visiblement à ce qu'il se prosterne devant elle. Puis, devant l'immobilisme du gros homme, elle tourne les talons et se rend jusqu'à Patrice, qui semble intimidé par le trop-plein de confiance de cette beauté vulgaire en bottes à talons bruyants.

Elle lui tend une disquette. Oui, une disquette.

— Kin, dit-elle. Tu penses-tu que ça va t'être correct ?
— Je... je vais voir ce que je peux faire.
— C'parce que moi j'ai rien d'autre, là.
— Ça va être correct.

Patrice lui lance un beau sourire pas si beau que ça, et elle se retourne sans même le saluer. J'ai soudainement une plus grande sympathie pour lui. Solidarité entre collègues. La pseudo-pitoune quitte la pièce rapidement. Elle ne m'a même pas regardé, ce qui ne me dérange pas trop – et si c'était ma cousine ?

Je me tourne vers Moustache.

— C'était qui ?
— Une cliente.

— Elle était pas un peu...

— Ils sont tous un peu bizarres. Tu vas voir...

— Mais, euh... une disquette ?

— J'ai aucune idée.

Un long silence nous sépare. Tous ces outils sur le mur, toute cette poussière dans l'air. J'aurais envie de te raconter ma matinée. Le vide, les gens, le pouce de Faulkner, la Compagnie créole, la folle à la disquette, j'aurais envie de tout te dire pour que tu trouves ça aussi weird que moi. J'aurais envie de te dire à quel point tout le maquillage du monde ne pourrait pas rendre une fille plus belle que toi.

Mais je n'ai que Moustache à qui parler.

— En tout cas, dis-je, c'était vraiment pas mon genre de fille.

— Moi non plus, répond Moustache en riant.

— Moi je les aime avec moins de rouge à lèvres, pis plus de sourires.

— Ouep.

— Mon ex... ça, c'est une...

Moustache m'interrompt en levant la main. Son visage se crispe. Il devient sérieux.

— Non, dit-il. Tu peux me parler de dinosaures toute la journée, ça va me faire plaisir, mais ton ex, tes histoires personnelles, je veux pas en entendre parler.

— Euh...

— Pas un mot. S'il te plaît.

— Pourquoi ?

— Je veux pas, c'est tout.

— Je comprends pas.

— Y a rien à comprendre. C'est juste qu'y a rien à dire.

Il sourit, comme pour me rassurer.

— Écoute, je te demande juste de garder tes histoires pour toi. Si t'as vraiment besoin d'en jaser, jases-en avec tes amis, OK ?

Mes amis.

Quels amis ?

Chapitre 7

L'étroitesse des lits simples

C'était il y a deux mois et demi. Deux semaines de vie d'hôtel m'avaient vidé, si ce n'est les poches, l'esprit. À l'hôtel dans ma propre ville, pas de vacances, encore moins d'exotisme, je m'étais usé la peau sur des draps rugueux et les yeux sur ton absence. Quand je les fermais, c'était pour espérer que tu apparaisses quand j'allais les ouvrir. Tu n'apparaissais jamais, je recommençais. Et toujours, sur la paroi intérieure de mes paupières, la forme orangée de la fenêtre de ma chambre, puis la lumière que tu ne cachais pas.

J'allais devenir fou et le minibar se vidait à la vitesse de l'alcoolisme.

Il fallait que je sorte de là, que j'aille vivre ma peine dans un endroit où je pourrais m'éparpiller, devenir sale, salir le lit et me noyer dans la solitude. Pas de femme de chambre, pas de carton *Do not disturb*, encore moins de service aux chambres.

En fouillant les petites annonces pendant un quart de seconde, j'ai trouvé un trois et demi à sous-louer, meublé, sur la 3e. Disponible immédiatement, près de tout, disait l'annonce. Près de tout sauf de toi, c'était parfait. Juste assez loin pour que je ne sente pas ton odeur, mais pas assez pour que tu oublies la mienne.

J'ai visité l'appartement, il était atroce. Ni propre ni grand, mais disponible immédiatement. Je l'ai pris. Le locataire, un jeune à l'odeur de vidanges qui s'en allait étudier à Sherbrooke pour six mois, était content.

De là, tout s'est fait très vite. Deux jours après, j'emménageais.

Tiens, une colonie de fourmis.

***

Je n'ai sorti de mes valises que ma clé USB, et je me suis rendu chez Jean Coutu, sur Masson. J'ai fait imprimer la photo de nous devant le pommier, à Oka. Celle du fou rire, juste avant que je te reproche de postillonner en riant, juste avant que tu répondes que mon haleine était ordinaire.

J'ai collé la photo sur l'écran de la télé, de toute façon je ne l'allumerai pas. Et je t'ai parlé, m'entendais-tu ? « Je vais changer. Pas tout de suite, je suis pas capable tout de suite, mais je vais changer. Tu vas voir, on va renaître, on va se fonder un pays à nous tout seuls. On va se chicaner dans la bonne humeur, on va se battre à poings fermés, en cuillère jusqu'à ce que tu aies trop chaud. » M'entendais-tu ?

Le premier soir, dans mon nouvel appartement rempli de choses qui ne m'appartenaient pas, je me suis couché dans le lit simple trop mou en sachant que je n'allais pas pouvoir dormir. J'ai bu, beaucoup, pour m'assommer, mais rien à faire. J'avais les yeux grands ouverts, comme s'ils devaient laisser la voie libre pour mes larmes.

C'est dans un lit simple que la solitude fait le plus mal.

***

La tête appuyée sur l'oreiller mouillé, je t'ai appelée. Il était 3 h 47, je m'en souviens, parce que 3 + 4 = 7. J'étais soûl, mais encore capable d'additionner. C'est d'ailleurs la première chose que je t'ai dite.

— Si t'additionnes les chiffres sur ton réveil, ça marche.

Tu m'as écouté, gentiment, sans jamais m'interrompre. Je t'ai tout dit, la photo, l'hôtel, la souffrance, le lit simple et l'oreiller trempé. Que je t'aimais, aussi, mille fois sûrement. Que je changerais, deux mille fois sûrement. Puis, j'ai tout répété, pour être sûr que tu m'avais entendu. La photo, l'hôtel, la souffrance, le lit simple et l'oreiller trempé. Et je t'aime.

Quand j'ai eu terminé, j'ai raccroché, j'ai soufflé un baiser vers le téléphone, j'ai imaginé que tu pleurais. Ça m'a fait du bien. Je me suis endormi moins seul, en sachant que tu dormais avec mes mots mâchés tout croche, avec mon amour agonisant, avec ma douleur dérisoire à l'haleine de mauvais cognac – c'est tout ce qu'il me restait.

**

Je me suis réveillé le lendemain midi avec l'absence de toi, mais plus encore, avec l'absence de foi. À partir de ce moment-là, je n'ai plus cru en rien, plus en cette parcelle spirituelle qui me servait de béquille à l'occasion. Cette nuit-là, le fil de foi qui me restait s'était rompu, comme si Jésus s'était pendu.

À partir de là, j'ai su que je devrais tout faire tout seul. Que la solitude qui fait mal serait aussi la fondation de notre avenir. Des murs de peine et des poutres d'ennui, c'est avec ça qu'on bâtira notre nous.

Notre nous sans les autres. Sans amis.

Quels amis ?

Avant même de me défaire de la foi, j'avais commencé à me défaire des amitiés. Au cours des deux semaines qui avaient suivi notre rupture, j'avais repoussé l'un après l'autre tous ceux qui voulaient mon bien, mais qui ne pouvaient comprendre ma douleur. Tous ceux qui me rappelaient beaucoup trop ta présence, tes sourires, ta chaleur.

J'aurais aimé avoir des amis à moi, des amis qui ne m'auraient pas rappelé toi. Mais il y avait déjà longtemps que mes amis ne m'appartenaient plus. Dès les premiers mois de notre relation, les J.-F. et les Patrick, les Marie-Maude et les Karim, tous mes amis étaient devenus nos amis. Et de nos amis, je ne voyais plus maintenant que le lien avec toi, et j'avais mal. Alors je les ai tous jetés, parfois méchamment, souvent violemment.

Il est resté Éric, seul rescapé de mon amicide. Éric, trop borné pour accepter que je ne veuille plus lui parler, plus le voir. Trop ami pour me laisser détruire ce que nous avions construit depuis le secondaire. Éric, qui avait toujours été de mon bord, de relations foireuses en amours impossibles, jusqu'à ce que tu débarques dans ma vie. Après ça, il est devenu multibords, l'ami 360 degrés qui ne se gêne pas pour faire la morale à l'un et à l'autre, pour prendre position pour l'un et contre l'autre, pour décider à notre place de ce qui est bon ou mauvais pour nous. Le meilleur des amis.

Quand le téléphone a sonné et que j'ai vu que c'était lui qui appelait, je savais avant de répondre ce qu'il allait me dire. Un reproche, bien sûr, celui de t'avoir appelée, soûl, la veille.

— Allô?
— Allô. As-tu besoin de jaser? Comment ça va, toi?
— Je te l'ai dit, Éric. Je veux pas te parler.
— Pis moi je t'ai dit que je m'en crissais, de ce que tu veux. Pis si tu veux pas me parler, écoute-moi.
— Je sais ce que tu vas me dire. Que j'aurais pas dû l'appeler cette nuit. Que j'étais trop soûl. Les mêmes reproches que d'habitude.
— Tu l'as appelée cette nuit?
— Tu savais pas?
— Comment tu veux que je le sache? Fait que t'étais soûl…
— Oui.
— Ça se fait pas, ça…
— Pourquoi ça se fait pas?

73

— Ça se fait juste pas. C'est pas… C'est pas bon, tu le sais.

Non, je ne le sais pas. Le monde aime penser que l'alcool n'est pas une excuse pour un appel de nuit à celle qui n'est plus dans notre lit. Mais c'en est une. C'est la meilleure excuse pour un geste qui doit de toute façon se faire. Exorcisme de mal de cœur, appel nocturne qui expie les démons. Je suis l'apôtre du *drunk dial*, qui fait du bien, qui ne tue ni n'attouche personne, qui fait débouler des mots gluants de vérité. Qui brise plus fort ce qui est déjà brisé, qui colmate ce qui peut l'être, qui vomit toute sa splendeur en un discours incohérent.

Si c'est péché d'appeler paqueté celle qu'on aime, je dis péchons. Le feu de l'enfer, voilà une ressource énergétique durable. Péchons, péchons, et les chars avanceront.

— Je m'inquiète pour toi. T'as vraiment pas l'air bien. Je peux-tu venir te voir ? T'es où, là ?
— Je suis dans mon nouveau palace. T'es pas vraiment le bienvenu, mais je sais que tu vas venir pareil. Quand tu passeras, peux-tu amener des petites trappes à fourmis ?

Éric est arrivé dix minutes plus tard, sans trappes à fourmis mais avec du Gatorade.

— J'ai pensé que t'aurais besoin de te réhydrater un peu.
— Tu sais que j'ai jamais vraiment cru beaucoup à Jésus, han ?
— C'est quoi le rapport ?
— Là, j'y crois plus du tout.
— De quoi tu parles ?

— J'ai besoin de personne. Je sais ce que je fais. Je vais devenir plombier.

Il a ri faiblement.

Pas moi.

— Je suis sérieux. J'ai besoin de changer. Parle-lui-en pas, par exemple. C'est une surprise.
— Tu vas pas bien, toi, a soupiré Éric en s'assoyant à mes côtés.
— Non, je vais pas bien, t'as raison. Mais je suis très sérieux pour ça. C'est fini, l'écriture.
— Voyons donc... C'est n'importe quoi, ça. C'est ça que t'aimes faire. Pourquoi t'arrêterais ?
— C'est la seule option.
— Tu seras jamais capable d'arrêter. Pis ça peut te faire du bien, d'écrire.
— C'est même pas négociable. J'ai pas écrit un mot depuis deux semaines. J'en écrirai plus un, jamais. Sauf dans ta carte de fête, mettons.
— T'es sérieux, là ?
— Absolument.

On en a parlé pendant une heure. Éric a d'abord essayé de me convaincre des vertus thérapeutiques de l'écriture. Puis, à force de constater que j'étais un mur, que je revenais tout le temps à toi, à nous, il a voulu me changer les idées en me flattant.

— Pis tu penses que ça va pas te manquer, écrire ? C'est hot, quand même, être écrivain. Heille, inventer des histoires... Moi ça me fascine, les gens qui sont capables de faire ça.
— Non, vraiment, ça fait mon affaire d'arrêter.

— Les gens t'aiment. Ça fait du bien d'être aimé, non ?

— J'ai juste envie d'oublier tout ça. De changer.

— C'est-tu parce que t'es le genre à trouver que ça fait mal, écrire ? J'en ai vu un l'autre jour qui disait ça à *Tout le monde en parle*.

— Je suis plus du genre à trouver que ça fait mal d'avoir écrit.

— T'exagères, là.

— Pas du tout.

— Arrête de te faire du mal comme ça. T'aimes ça, écrire. Prive-toi pas de ce que t'aimes.

Mais je n'aime pas ça. Écrire, avoir écrit, et tout ce qui va avec, la promotion, les salons, les entrevues, les invitations. Expliquer mon processus créatif à des gens qui s'en foutent. Sourire pour une photo de quatrième de couverture.

Je suis tellement tanné de cette vie-là, cette vie qui t'énerve autant que moi. Je ne saurais plus quoi dire avec mon clavier. Je ne saurais plus faire une phrase complète, je laisserais tomber tous les verbes comme tu m'as laissé tomber. Fort et mal. Comme ça. Tu te souviens à quel point c'était naturel, pour moi, l'écriture ? À quel point ça sortait tellement dur que je te réveillais avec le bruit des touches que j'enfonçais de mes doigts marteaux-piqueurs ? Mes doigts ne sont même plus capables d'effleurer le clavier.

Je ne veux plus écrire, je ne veux plus raconter d'histoires. Toutes ces histoires de filles, de peines d'amour, ces histoires inventées que le monde pense vraies. Ils s'attendent à ce que j'écrive des trucs de relations hommes-femmes sans arrêt, ils me traitent de spécialiste. Ils jugent ce que j'écris, tout le temps, et je m'en foutrais si ce n'était qu'ils pensent que les personnages qui ont mal sont des losers sympathiques, alors qu'ils ne sont qu'humains. Se lever à midi ne veut pas dire qu'on n'a pas de vie. Juste qu'on en a une autre qu'eux, *morning men* de mes deux.

Moi, tout ce que je veux, c'est redevenir normal, avec une vie en société, un travail qui demande du travail, des mots qui servent à dire bonjour comment ça va aux gens qu'on croise, et pas de salons du livre.

Et je veux que tu le voies, ça. Que tu me voies en gars normal. Que tu m'aimes en gars normal.

C'est fini. J'ai fini d'écrire.

***

Éric m'a écouté radoter durant tout l'après-midi. Souvent, j'ai dû me moucher, et essuyer les larmes sur le coin de mes yeux. Je lui ai tout dit, plusieurs fois. Le suicide professionnel, le renouveau, le *master plan* formidable. Il a hoché la tête tout l'après-midi, découragé. Il n'a jamais essayé de me comprendre. Au bout de la huitième répétition de mon speech, il m'a interrompu.

— Je sais que tu y crois, à ton plan de plomberie. Je sais que tu penses que ça va te faire du bien, et que tu vas être capable de ne plus écrire. Mais c'est juste que tu files pas. T'es en dépression. Tu devrais consulter. Tu sais, il y a des médicaments, maintenant, qui pourraient vraiment t'aider.

La peine d'amour comme une maladie, voilà ce qui me fait vomir.

Il faut cesser tout ça. Arrêter de bâillonner tous ceux qui ont de la peine. C'est normal, c'est même beau, la peine. Et c'est nécessaire. Bien sûr, que je ne vais pas bien. Mais ce n'est pas un problème. J'ai de la peine. Je souffre. Je vais guérir, pas besoin de diachylon. J'ai un deuil à vivre, j'ai une douleur à combattre, j'ai une vie à rebâtir, à ma façon.

Je veux avoir le droit de m'enfermer et de pleurer. La dignité ? *Fuck* la dignité. Je garde ça pour quand je serai mourant. Maintenant, j'ai juste envie de brailler le plus indignement du monde. Parce que c'est humain. Souffrir, c'est humain.

— J'ai pas envie d'être une machine, Éric. Ça me tente pas qu'on me traite comme un malade parce que je suis triste. Je vais te dire quelque chose. Depuis deux semaines, ça me prend des heures à m'endormir. Le lendemain, je me réveille en pleurant. Je te dis pas que je me réveille, puis ensuite je me mets à pleurer, là. Non. Quand je me réveille, je suis en train de pleurer. Et ça fait du bien. C'est le seul médicament dont j'ai besoin.

— Mais t'es détruit, là.

— C'est correct d'être détruit.

— Moi je trouve quand même que tu devrais voir un psy.

— Je vais y penser.

Éric est un bon ami. Le genre d'ami qui n'accepte pas de dire ce qu'on veut entendre. Ce sont les meilleurs, ceux-là. Les précieux. Mais même les précieux, des fois, on aimerait qu'ils disparaissent.

— Je sais que ça te fait chier de me voir comme ça, Éric. Mais je te jure, c'est mieux pour moi. Inquiète-toi pas, je vais me relever. Je sais pas si je vais être plus fort, ou meilleur, mais je vais me relever. Peut-être que j'aurai rien appris, mais au moins, ce que j'aurai pas appris, c'est tout seul que je l'aurai pas appris.

— J'ai juste peur que tu fasses une niaiserie.

— La pire niaiserie que je vais faire, c'est appeler du monde, complètement soûl, en plein milieu de la nuit. Y a personne qui meurt de ça.

Éric a grimacé puis, résigné, s'est levé. J'ai voulu lui faire promettre de me laisser tranquille. Il a dit qu'il ferait de son mieux, mais je ne l'ai pas cru.

— Tu me fais trop penser à elle, Éric.
— Hm.

Je l'ai regardé s'éloigner sur le trottoir, du haut de mon deuxième étage, et quand il s'est retourné pour me regarder une dernière fois, j'ai compris qu'il reviendrait.

Les amis, ça peut tellement être désagréable, des fois.

Chapitre 8

Un gun noir fluo

— Bof, mes amis... Ils sont pas super intéressés par mes histoires.

— Imagine tes collègues de travail.

Le sourire en coin de Moustache me fait sourire, en coin aussi. Il est midi, et de mon banc j'entends le ventre de Marie-Claude qui gargouille à l'autre bout du QG, enterrant pratiquement les compagnons créoles. Tant de bruit dans un si petit corps, cette Marie-Claude en a dedans.

En entendant son appétit se manifester comme ça, je me rends compte que moi aussi j'ai faim. Dans mon énervement du matin, première job depuis longtemps, vêtements étouffants, j'ai oublié de déjeuner. Je questionne Moustache.

— Le lunch ici, c'est...

— À peu près maintenant. La cuisine est là. Y a une machine à Coke pis un micro-ondes.

Pour ceux qui aiment leur Coke chaud, j'imagine.

— Je vais aller me chercher quelque chose au coin de la rue, dis-je.

— OK. Nous on va être dans la cuisine. On a tous un lunch.

J'ai faim, mais j'ai surtout besoin de prendre un peu d'air, de lumière, moins de poussière. J'enfile mon manteau. Dès que je mets un pied dehors, la fraîcheur qui envahit ma gorge m'étouffe, comme si j'avais retenu mon souffle pendant tout l'avant-midi. J'ai la tête qui tourne, et c'est une bonne chose, parce que ça me permet de jeter un bref coup d'œil vers chez toi – c'est encore un peu chez nous. Tu n'y es pas, c'est sûr, mais j'aime t'imaginer en train de descendre les marches avec les bottes brunes que tu as un peu honte de porter.

Je me sens mieux, aujourd'hui, beaucoup mieux qu'à mes débuts dans mon trois et demi. Beaucoup mieux que devant Éric il y a quelques mois. Beaucoup mieux que les quelques fois où je t'ai appelée au milieu de la nuit. Je ne suis pas rétabli, mais ça viendra, je le sens, ça viendra quand on prendra une marche ensemble, ou un café, et qu'on pourra sourire en se regardant droit dans les yeux, les deux, avant de s'engueuler un peu.

Je m'ennuie de la magie au sud de tes sourcils.

***

Deux hot-dogs, une frite, une Orange Crush.

L'allure de la cuisine de P. Faulkner, plomberie générale, est à mi-chemin entre le QG et la salle de bain. Mi-propre, mi-sombre, mi-tout. Autour d'une table rectangulaire, Marie-Claude, Patrice et Moustache ont déjà englouti une bonne partie de leur lunch.

— Le boss est pas là ?

— Il mange dans son bureau, répond Moustache en montrant une porte à côté du micro-ondes.

Je m'assois à côté de Marie-Claude, qui se redresse, visiblement contente d'avoir un peu de nouveau dans sa routine plomberienne.

— Fait que… « L'écrivain »… C'est-tu vraiment parce que t'écris que le boss t'appelle comme ça ?

— Oui, j'écris. J'écrivais, en fait. Des romans. Mais là j'ai arrêté.

— Cool, ça, un écrivain ! Est-ce que je les ai lus, tes romans ?

— Est-ce que tu lis un peu ?

— Pas vraiment.

Personne ne lit. Jamais, nulle part.

— Tu risques pas de les avoir lus, dans ce cas-là. Mais ça a quand même bien marché, mes affaires.

— C'est donc ben le fun, ça. Han, les gars ?

Moustache ne réagit pas, comme si sa salade était un trou noir qui l'absorbait davantage à chaque fourchetée. Patrice, au milieu d'une bouchée de lasagne Michelina's, hoche la tête poliment, l'air un peu bête.

— Ça t'a jamais tenté d'écrire des films ? demande Marie-Claude. Il paraît que c'est payant, ça...

— Bof... T'sais, nous, les auteurs, on travaille toujours sur trois scénarios de films qui se feront jamais.

— Ah...

Elle semble déçue. Les gens aiment leurs fantasmes d'auteurs, les étincelles, l'inspiration, la poésie du métier. L'idée que tous les projets se rendent jusqu'au bout, qu'il suffit d'avoir une idée. Dès qu'on leur dit la vérité, ils refusent de l'accepter.

— Je pense quand même que tu devrais écrire des films.

Je souris, amusé, pendant que Moustache se gratte le bas du dos avec véhémence, grimaçant de tous ses muscles. La conversation s'arrête là, comme si tout avait été dit. Le silence, dans ce groupe, tient le rôle principal.

J'observe un à un mes collègues. Moustache se gratte encore le dos. Marie-Claude mange comme un sumo. Et Patrice, le dos courbé, évite mon regard comme si j'étais défiguré – trois mois de larmes ne m'ont pourtant pas abîmé tant que ça. Depuis que je l'ai rencontré jeudi dernier, j'ai l'impression de le déranger.

J'écoute le bruit des ustensiles dans les plats Tupperware, et j'aimerais engager la conversation, mais tu sais comment je suis. Je prépare une question, et je ne trouve pas le moment parfait pour la poser, silence sacré, alors j'attends, je repousse, encore une seconde, puis une autre, et je ne pose plus rien.

C'est finalement Phil Faulkner qui interrompt le rien dans lequel nous étions absorbés, en ouvrant bruyamment la porte de son bureau.

— L'écrivain ! Va don' me chercher des cigarettes au dépanneur. Des comme ça.

Il me lance un paquet vide dans lequel il a glissé un billet de vingt dollars. Avant même que je puisse réagir, il referme la porte de son bureau. Je regarde Marie-Claude en souriant. Elle hausse les épaules, plus amusée que surprise. Je m'apprête à me lever, mais Patrice me prend le paquet des mains.

— Je m'en occupe, il faut que je sorte de toute façon, dit-il en conservant son air bête naturel.

Patrice quitte la cuisine en vitesse. Au fond de moi, je commence à le détester un peu. Je l'imagine déjà revenir et donner le paquet à Faulkner, « Regarde boss, c'est moi qui suis allé les chercher ». Je regarde Marie-Claude et Moustache.

— Pourquoi il m'aime pas ?
— Patrice ? Il t'aime. C'est juste qu'il a de la misère à le montrer.

Et moi, j'ai de la misère à croire Marie-Claude, mais Moustache acquiesce de la tête.

— Il est bourru de nature, ajoute-t-il. Mais c'est un bon gars, inquiète-toi pas. Un gars d'équipe.

D'accord. On verra. Entre-temps, je trouve déjà que l'air est moins dense dans la cuisine, plus propice à une conversation. Je pose ma question, préparée avec soin depuis trop longtemps.

— Ça fait combien de temps que vous travaillez ici ?

Majestueux. Je suis un as de l'interrogatoire. Moustache et Marie-Claude se regardent.

— Depuis toujours, dit Moustache.

Marie-Claude hoche la tête.

— Oui, moi aussi. Depuis toujours.

Et, une fois de plus, le silence envahit la pièce, plus fort que nous, comme une obligation. Ce n'est pas un malaise, c'est juste le cours naturel de ce dîner, peu de mots, que des bruits. Ce n'est pas désagréable, tellement pas que je me demande si ces gens-là pourraient devenir mes amis. Des amis juste à moi, qui remplaceraient ceux que je n'ai plus.

On mange en silence ce qu'il reste dans nos plats jusqu'à ce que Patrice revienne. Je m'attends à ce qu'il aille porter les cigarettes à Phil Faulkner. Je me trompe. Il s'assoit à sa place, et me tend le paquet de cigarettes, et la monnaie.

— Tiens, va lui donner.

Il esquisse même un léger sourire, que je lui rends, ce qui le gêne. Il détourne le regard. Ce n'est pas un méchant, finalement, c'est un timide. Je le remercie.

Phil Faulkner est content, du menthol plein les dents.

— Good job, le jeune !
— Ça... euh... ça me fait plaisir.
— Inquiète-toi pas, je te ferai pas faire ça souvent. Là, c'était une urgence.

Tellement une urgence qu'il ne prend pas soin de sortir pour fumer. Son bureau se remplit de gris parfumé. Il me fait signe de sortir.

— Va-t'en, pis ferme la porte. Je veux pas emboucaner la cuisine.

Je ne me fais pas prier. Quand je m'assois à table, avec mes collègues qui ne disent toujours rien, je constate que Moustache se gratte encore le bas du dos.

— Heille, je suis désolé, dit-il. J'en peux plus, là, ça me démange trop.

D'un geste brusque, il sort un revolver de l'arrière de son pantalon et le dépose sur la table, à côté de son plat presque vide. Instinctivement, je redresse le dos, inquiet. Je regarde les deux autres nerveusement, m'attendant à ce qu'ils partagent ma surprise. Rien. Marie-Claude éternue et s'excuse. Patrice mâche la dernière bouchée de sa lasagne sûrement froide. Apparemment, il ne s'est rien passé. Un gun sur une table, dans une shop de plomberie, c'est normal. J'ai beaucoup à apprendre.

Je fixe l'arme. Elle est propre comme la salle de bain, d'un noir luisant. Moustache en prend soin, c'est évident. J'essaie de croiser son regard pour qu'il voie les questions dans mes yeux. Il est concentré sur la dernière feuille de laitue, qui ne veut pas se décoller du fond de son Tupperware.

***

Une gueule de tueur de sept pieds deux, une cliente à disquette, un revolver noir fluo. Où suis-je ? Patrice se gratte le sourcil droit, l'air totalement blasé. Il se tourne vers moi.

— Mais là, dit-il, si t'es un écrivain connu... Comment ça se fait qu'on te connaît pas, nous autres ?

Chapitre 9

Christiane Charette

— Elle s'est trompée dans mon nom, et elle s'est trompée dans le titre du livre.

— Je sais, chéri. Mais toi, t'as été parfait.

C'est pour ça que je t'aime. Parce que chaque fois que j'étais imparfait à la radio ou à la télé, tu me mentais en pleine face pour que je me sente mieux. Cette fois-là, un hiver il y a quelques années, j'avais trébuché sur tous les mots de toutes mes réponses, réprimant même un rot au milieu de mon élan sur l'importance d'un personnage faible. L'animatrice n'avait manifestement pas lu mon livre – personne ne lit – et, à m'écouter, on aurait dit que moi non plus, je ne l'avais pas lu.

En marchant de la tour de Radio-Canada jusqu'à ton auto stationnée sur Amherst, dans laquelle tu m'attendais, j'ai eu le temps de reformuler toutes mes réponses.

J'étais nettement meilleur, mais c'était nettement trop tard.

— C'est tellement génial, de l'*exposure* comme ça, je vais sûrement vendre un livre de plus.
— Arrête de chialer, c'était pas si pire.

Tu me faisais du bien. Et en plus, tu t'étais fait des tresses avant de partir, sexy lulus, tu avais prévu mon échec. Tes tresses contre ma détresse, tu gagnais toujours.

— On s'en va-tu, j'aimerais ça m'éloigner le plus possible d'ici.
— OK, chef.
— J'haïs ça quand tu m'appelles chef, tu le sais.
— Oui, boss.
— Mange de la marde.

Il était tôt pour dîner, mais on avait faim pour de la cochonnerie, pizza, poutine. On s'est arrêtés dans un resto *cheap*, et on a mangé en riant. On riait tout le temps, ou on criait, mais cette fois-là c'était des éclats de rire, pas des éclats de verre, j'en suis presque sûr. On a parlé de mes entrevues, de mon manque de talent – d'intérêt – pour ces choses-là, des euh dont je ponctue chaque mot, des t'sais qui accompagnent le tout.

— Mais y faut ce qu'y faut.
— Y faut ce qu'y faut.

C'était toujours notre conclusion, le signe qu'il était temps de changer de sujet, avant que je déprime, avant que tu exploses.

Le serveur a pris ma carte de crédit. Quand il est revenu avec le crayon, la facture, la copie du marchand et la copie du client du relevé, et ma carte, le serveur avait un drôle d'air. J'ai eu peur, je me suis caché le visage dans tes mains, que j'étais en train d'embrasser.

— Vous êtes l'écrivain ?

Il souriait comme un épais.

— Oui, c'est moi.
— J'ai lu votre livre !
— Euh... Lequel ?
— Celui avec le gars qui travaille dans un magasin de disques, là.
— Euh... Non, ça c'est pas moi, c'est...
— Oui, oui, c'est vous. J'ai reconnu votre nom sur votre carte.
— Oui, mais tu confonds, là...
— En tout cas, j'ai beaucoup aimé ça !

Et toi, tu riais.

Déjà que je n'étais pas assez connu pour qu'on reconnaisse mon visage, qu'il fallait que je distribue ma carte de crédit pour qu'on se souvienne de mon nom, en plus, quand on se souvenait de moi, ce n'était pas de moi dont il s'agissait.

Big shot.

Spotlights.

Limousine.

Guy A. Lepage, j'arrive.

J'étais mélangé entre la honte et l'amusement, et surtout l'envie de crisser mon camp. Malheureusement, le serveur n'avait pas terminé d'être épaté par pas-moi.

— Sur quoi vous travaillez de ce temps-ci ?

La question à mille piasses – mais c'est moi qui dois payer. Celle qu'on pose le plus souvent. La réponse, celle qui est généralement vraie, et qui l'était ce jour-là : sur rien. Mais ce n'est pas ça qu'ils veulent entendre.

— Sur un film. Ça devrait sortir l'an prochain.
— Wow, c'est tripant, ça !

Je ne travaillais sur rien. Ni sur un film, ni sur un roman, ni sur une chronique, ni même sur mon estime de moi. C'était l'époque où toi et moi, on était heureux, tellement que quand on s'engueulait, ça finissait rarement avec un verre d'eau à la figure – c'est dire, je ne traînais même plus de serviette avec moi. Sauf que le bonheur, ce bonheur amoureux des films pour enfants, ça nuit à l'écriture. Le quotidien fleuri, cui-cui, chicanes douces et coups de couteau à beurre, ça vide la tête.

C'est en étant malheureux qu'on écrit le mieux, ce n'est pas une révélation. Les peines d'amour, ça fait des histoires qui viennent du ventre, pleines de marde et d'émotions, et de sang, à cause des aiguilles qui torpillent le corps. J'ai pensé te laisser pour mieux écrire, mais je n'aurais jamais pu.

À cette époque-là, je passais des heures devant l'ordinateur, à te faire croire que je travaillais, le six de cœur sur le sept de pique, le neuf de trèfle sur le dix de cœur, et l'as de carreau en haut.

Chapitre 10

L'humeur stable des éléphants

Je ne me souviens pas de m'être endormi, mais on ne se retrouve pas comme ça à Los Angeles dans le bureau d'un psy barbu sans se prélasser dans les bras de Morphée.

— Poursuivez, me dit le docteur Murphy.

Il parle français, c'est vraiment un bel adon.

— Poursuivez, répète-t-il, les yeux dans un carnet de notes à l'effigie de Dora l'exploratrice déposé sur un pouf devant lui.

Pourtant, je n'ai encore rien dit. Je prends une gorgée de margarita, et je me lance.

— C'est ma blonde. Elle m'a laissé, ça m'a fait de la peine. J'ai pleuré, ça doit pas être normal, j'étais tout trempé du dessous des yeux. Mon ami m'a dit que je devrais venir vous voir parce que personne ne devrait tolérer d'avoir mal, pas en Amérique. Alors me voici, avec toute ma douleur et convaincu que vous aurez la réponse pharmaceutique à mes soucis humains.

— Je vois. Je vais vous prescrire un massage érotique, et des petites pilules homéopathiques, et un puissant stabilisateur d'humeur, tellement puissant que vous ne pourrez ni sourire ni pleurer, ni parler ni bouger. C'est sans danger, on en donne couramment aux éléphants.

— Je savais que je pouvais compter sur vous, docteur. Mais, c'est curieux… pas d'antidépresseur ?

— Oh oui, bien sûr. Ça fait partie du *package* de départ, c'est pour ça que je ne le mentionne pas.

— Je vois. Vous êtes très fort.

Il hausse les épaules et me montre fièrement son diplôme sur le mur.

— Quatre mois de cours par correspondance, dit-il.
— Wow.

Wow sans point d'exclamation, j'ai le placebo stabilisateur d'humeur dans le tapis. Le vent salé me souffle au visage par la fenêtre ouverte, et je me demande pourquoi le docteur Murphy ne rase pas sa barbe, par une chaleur pareille. Ça doit être parce qu'il n'a pas de bras.

— Et une psychothérapie, ça ne m'aiderait pas ?
— Bof. Vous savez, la thérapie, c'est long. Avez-vous vraiment tout ce temps-là à perdre ? Pas moi.

— Je comprends.
— Je peux quand même vous donner un conseil. Il faut vous détendre. Il faut éliminer toutes vos pensées

noires... La détente, la détente. On n'appuiera jamais assez sur la détente.

On n'appuiera jamais assez sur la détente.

***

En sueur dans mon lit simple, je me suis réveillé en riant. Moi qui, quelques heures plus tôt, pleurais devant Éric. Il avait raison : consulter m'a fait le plus grand bien. Dommage que le plus grand bien ne dure généralement que quelques secondes.

J'ai retrouvé ma peine dans le pot de Nutella qui sentait toi.

Chapitre 11

Boire le bonheur des autres

Tu prends tout le temps tes œufs brouillés.

— Tournés, les œufs ?
— Non, brouillés.

Les serveuses font toujours la moue quand tu commandes, la déception dans le regard. On dirait qu'elles renient les œufs brouillés, comme si ça enlevait au chef le plaisir de les retourner juste au bon moment, sans percer le jaune. Et moi, ça m'amuse.

— Bon, t'as encore fait de la peine à la serveuse, là.
— C'est pas de ma faute. Si je les prends tournés, je vais avoir besoin de mon pain pour manger le jaune. Pis j'ai besoin de mon pain pour... Tu sais quoi...

Pour ton Nutella, et le pot que tu caches dans ta sacoche chaque fois qu'on va déjeuner au restaurant. Ton Nutella, que tu tartines en cachette sous la table. C'est ton secret espiègle, celui que tu aimes cultiver. Tu te sens James Bond, le danger code rouge, le risque de mourir exécutée si jamais on te surprend.

Ce matin-là, un matin frais de juillet, deux semaines avant que tu me laisses, tu tartinais sous la table avec moins d'enthousiasme que d'habitude. Je n'avais pas vraiment remarqué, c'est maintenant que j'y pense. J'aurais dû voir ton geste plus mou, ton sourire plus forcé. J'aurais dû voir que quelque chose n'allait pas. Tu étais plus distante que d'habitude, tu n'avais pas l'œil enfant de ton secret chocolaté. Quand je t'ai dit que c'était nono, ton petit jeu, comme je le faisais chaque samedi, tu ne m'as même pas répondu que je ne savais pas m'amuser, comme tu le faisais chaque samedi.

Ta voix était plus faible, je m'en rends compte maintenant. À ce moment-là, je n'ai rien remarqué, parce que ça faisait des mois que ta voix faiblissait de jour en jour, une fraction de ton à la fois, à mesure que s'éteignait la flamme en toi. Tu ne m'aimais déjà plus assez, je crois, des mois auparavant. Et ce matin-là, c'était manifeste, mais j'ai refusé de le voir. Je me suis menti, je suis bon là-dedans, j'ai imaginé que tout allait bien, et je me suis cru.

— M'en donnes-tu un bout ?
— Es-tu fou ? Des histoires pour qu'on se fasse pogner...

Tu avais toujours ton esprit vif, tes répliques joueuses. Mais le sourire qui suivait était plus dur qu'avant. La distance entre nous, plus grande. Même si tu avais accepté de me donner une bouchée de ta tartine nutellée, je ne suis pas certain que nos mains auraient pu se rejoindre au centre de la table.

— Je t'aime, t'ai-je dit machinalement.

Tu n'as pas eu le temps de répondre – ou de ne pas répondre. Éric est arrivé, tout content de nous avoir trouvés.

— Vous êtes là ! Génial...
— T'as pas beaucoup de mérite, le détective. On est toujours ici le samedi matin.
— Oui, mais vous auriez pu... Je sais pas. Je suis juste content de vous voir.

Tu t'es lancée dans son enthousiasme, accrochée à la bouée de sa bonne nouvelle, pour flotter encore plus loin de moi. Et encore une fois, je n'ai rien vu, captivé moi-même par les paroles d'Éric.

— Je me suis trouvé une job ! Une vraie job, dans une vraie agence !

Ça faisait deux ans qu'Éric voguait de petit contrat en petit contrat, à la recherche d'un emploi stable dans une boîte prestigieuse. Il a dû passer mille entrevues, mais des graphistes sans expérience, il y en a plus qu'il n'en faut. C'était son rêve qui se réalisait, son billet de loterie gagnant.

Tu l'as serré dans tes bras, tu lui as dit à quel point tu étais fière de lui, à quel point il méritait d'être heureux. Sur le coup, je me souviens de m'être dit que j'aimerais que tu sois fière de moi comme tu l'étais de lui. Puis, cette pensée s'est estompée aussi vite qu'elle est apparue : c'était son moment à lui. Je l'ai serré dans mes bras à mon tour, lui ai répété ce que tu lui avais déjà dit.

On a parlé pendant des heures, tu buvais son bonheur. C'était malsain, mais je te voyais sourire, mieux que quelques heures plus tôt, alors je t'ai imitée. Il nous a tout raconté, les entrevues, le salaire, le bureau, les collègues qu'il connaissait déjà un peu, la fille cute de la réception. Tu t'accrochais à sa joie pour t'extirper du marasme, j'ai fait la même chose. On était tournés vers lui, tout le temps, et on s'appropriait son bonheur comme si c'était le nôtre, bien-être artificiel de ceux qui vivent vides.

Ce matin-là, devant Éric, on a fait le plein de bonheur sans plomb, sans se regarder une seule fois.

Chapitre 12
Paul Desjarlais

— Ça, c'est la même chemise qu'hier, mais d'une autre couleur ?

Ils ne parlent pas beaucoup, mais quand ils parlent, c'est pour me niaiser. Je les aime bien, ces collègues de travail. Déjà, à la base, ce sont des collègues de travail, ce que je n'ai pas eu depuis des années. Et puis ils ne me veulent pas de mal, je le vois bien. Je pourrais m'habituer à cette vie-là, à ces gens-là, à cette légèreté silencieuse. C'est seulement ma deuxième journée, et je suis déjà à l'aise dans ce QG qui m'apparaît désormais plus chaleureux que poussiéreux.

Maintenant, si je pouvais seulement savoir en quoi consiste mon travail.

Hier, je n'ai rien fait. En fait, à part Patrice et son incessant pitonnement, personne n'a bougé de la journée. Après le dîner, Moustache a replacé son revolver dans son pantalon, et est retourné s'asseoir sur son banc. Marie-Claude est retournée se poster près de Patrice. Et Phil Faulkner a émergé de son bureau pour envahir son sofa. À dix-sept heures pile, tout le monde s'est levé, s'est souhaité bonne soirée et s'est dispersé dans la ville mouillée.

Ce matin, visiblement, on repart pour un autre tour. Même Compagnie créole, même clac-clac de clavier, même Faulkner écrasé. La routine après une seule journée, j'y survivrai. C'est un emploi, et je n'écris pas, c'est toujours ça de pris.

De temps en temps, la banalité de notre mou collectif est perturbée par le téléphone de Phil Faulkner, dont la sonnerie se trouve à être une chanson de la Compagnie créole. Quand ça sonne, on entend donc simultanément deux chansons de ce merveilleux quintette. Deux fois plus de bonheur et, s'il vous plaît, deux fois plus de balles dans ma tête.

Il est 9 h 25. Je suis en train de me demander si les Converse de Marie-Claude sont des vrais quand le téléphone de Phil Faulkner fait rire les oiseaux. Il répond, demi-soulagement pour les tympans ambiants, puis il échange deux-trois mots inaudibles, et raccroche. Sans bouger de son sofa, il me pointe de l'index, et se met à crier.

— Je vais avoir de la job pour toi !

Je me lève, soudainement nerveux. Ai-je oublié de me mettre de l'antisudorifique ce matin ? Suspense. Je m'approche de Faulkner, qui s'extirpe inélégamment du sofa.

— Suis-moi, l'écrivain. J'ai des choses à t'expliquer.

***

Le bureau de Phil Faulkner est minuscule, et les murs sont roses. Entre les deux énormes fauteuils de cuir qui semblent occuper tout l'espace se trouve une toute petite table en faux bois, sur laquelle repose un ordinateur portable d'une autre époque. Le mur latéral est recouvert par une série de classeurs noirs. Et, sur le mur du fond, une fenêtre. Je le mentionne parce que la lumière du jour est une rareté chez P. Faulkner, plomberie générale.

— Assis-toi.

Je m'assois. Phil Faulkner se laisse choir sur l'autre fauteuil, non sans grogner un peu.

— On va se parler dans le blanc des yeux, l'écrivain. Ce que je vais te dire va peut-être te décevoir, mais c'est comme ça.
— Je vous écoute.

Je suis plus curieux que nerveux, mais j'ai quand même l'impression humide que je l'ai oublié, l'antisudorifique. Faulkner me tend une cigarette, que je décline.

— Tu fais bien, on a pas le droit en dedans.
— C'est ce que je pensais.

Je souris. Il tousse.

— Bon. Je vais être franc avec toi. Ma shop, c'est pas une shop de plomberie. La plomberie, c'est un *front*. Fait que si ton rêve c'était vraiment d'être plombier, t'es mal tombé. Mais ce que tu vas faire pour moi, tu vas voir, c'est pas mal plus le fun que de gosser sur des tuyaux.

Je me tais. Je ne peux pas dire que je suis vraiment surpris. Tout était louche, ici. Faulkner poursuit.

— Ce qu'on fait ici, c'est du matchage socio-personnel de luxe.
— Du...
— Je vais t'expliquer. Au Québec, il y a un paquet de monde qui pourrait jamais être vu sur Réseau Contact. Des vedettes, des politiciens, des hommes d'affaires. Mais ça veut pas dire que ces gens-là ont pas envie de se faciliter les choses pour rencontrer un partenaire. C'est là qu'on entre en jeu. On est un service de rencontres hyperexclusif pour des gens hyperexclusifs. Des big shots qui cherchent l'amour ou, souvent, juste une aventure discrète. On les reçoit ici, on les passe en entrevue, on leur fait une fiche, des photos, des vidéos, puis on les matche entre eux, selon ce qu'ils cherchent. Ça fait dix ans que je fais ça. Ça marche.

Je ne sais pas trop comment réagir. Les questions se bousculent dans ma tête.

— Je peux-tu...
— Shoote-les, tes questions.
— Je... Pourquoi la plomberie ?
— Quand j'ai parti ça, il fallait que ça fasse secret, fallait que ça ait l'air de rien, pour que les clients se sentent protégés. Je me suis demandé ce qu'il y avait de

plus éloigné d'une agence de rencontres... J'ai pensé à la plomberie.

Apparemment, la plomberie est le domaine le plus éloigné de tout, peu importe de quoi il s'agit.

— OK. Euh... Cool, j'imagine. Fait que là... Moustache, Marie-Claude, Patrice ?

— Patrice, c'est notre gars de IT. La base de données, les algorithmes de matchage, le site web pis les affaires d'encodage, là, pour la sécurité. Moi je connais pas ça, mais il s'occupe de tout, pis y est bon. Marie-Claude, c'est notre photographe. Elle fait aussi les vidéos. Elle est là seulement trois jours par semaine, à moins qu'il y ait un rush. Et Moustache, c'est mon homme. Mon bras droit. Moustache, je l'appelle le gardien de la discrétion. Il s'assure que tout le monde comprend bien que c'est secret, notre affaire. Autant les clients que les employés.

— Il est là pour faire peur, quoi...

— Oui.

— Ça marche.

— T'as pas idée. T'as vu comment les autres ont même pas osé t'en parler depuis hier.

Phil Faulkner semble fier de lui. Fier de me dévoiler tout ça. Il ne doit pas avoir souvent l'occasion de se vanter : une entreprise secrète, sans doute illégale – je dis ça à cause du gun – ça commande une certaine discrétion.

— Et moi, là-dedans ?

— Écoute, je t'ai engagé parce que j'aimais ton *guts*. T'avais l'air d'un bon gars honnête. Je voulais te donner une job de commis. La poste, les chèques, le classement, ces affaires-là. Mais quand tu m'as dit que t'étais écrivain... Heille, jackpot !

— Jackp...

— Tu vas écrire pour moi ! J'ai besoin de quelqu'un qui peut faire ça mieux que moi. Tu vas écrire les fiches des clients, rendre ça sexy, mettre de la poésie là-dedans. Pis tu vas faire des scénarios pour leurs vidéos. Ça va être écœurant. On était là, on passe là.

Il avait sa main au niveau de ses yeux, il l'a maintenant le plus haut qu'il peut.

— Vous voulez que j'écrive ?

— Oh que oui.

— Je suis venu ici pour arrêter d'écrire...

— T'écriras plus de romans, inquiète-toi pas. Tu vas faire ben mieux que ça. Tu vas jazzer des profils, tu vas écrire de la magie, pis ça va créer de l'amour. Tu vas voir, tu vas triper. Et ça commence cet après-midi. Y a une nouvelle cliente qui vient, et c'est toi qui vas t'en occuper.

— Qu'est-ce que je dois faire avec ?

— On a un long questionnaire. Tu vas commencer par l'interviewer et noter ce qu'elle te dit. Je vais tout t'expliquer ça.

— Je... je suis pas sûr... Mettons que ça me tente pas ?

— Ça va te tenter.

— Je... je suis désolé. Je pense que ça m'intéresse pas.

Alors que je m'apprête à me lever, Phil Faulkner me sourit comme un père sourit à son fils pour le manipuler. Tendrement, violemment.

— C'est là que ça devient plate. T'as pas le choix. Ici, c'est comme ça que ça marche. C'est moi qui décide. Tu travailles pour moi tant que je veux que tu travailles pour moi. T'as pas le droit de démissionner. Comprends-moi, je peux pas me permettre d'avoir des anciens employés, qui savent tout, dans la nature. Le moins le monde en sait, le mieux c'est. Les clients, ça parle pas. Y ont tout à perdre. Des anciens employés, ça jacasse en crisse. Je veux pas de ça.

— Mais là…

— Fais-moi confiance, tu vas aimer ça.

— Mais… Qu'est-ce qui m'empêche de juste pas rentrer demain matin ?

Faulkner tape quelques mots sur son ordinateur en souriant calmement, puis tourne l'écran vers moi. C'est un article de journal : « Décès mystérieux dans la Petite-Patrie ». On y relate l'assassinat non élucidé d'un certain Paul Desjarlais en 2007. Phil Faulkner ferme l'ordinateur et me dévisage longuement.

— Ce serait plate qu'il t'arrive une *bad luck*.

Du chantage pour que j'écrive. Même les éditeurs ne sont pas si vils que ça.

Câlice.

***

Je m'apprête à quitter le bureau de Phil Faulkner après lui avoir serré la main à contrecœur, mais il me retient.

— Heille. J'oubliais… Y a trois règles ici. Un, tu fréquentes pas les clientes, ni les clients. Jamais. Deux, tu parles à personne de ce qui se passe ici. Aux yeux du monde extérieur, t'es plombier. Et trois, tu le sais déjà : tu disparais pas, parce que je vais te retrouver, et je serai pas content.

— Compris.

J'aimais mieux être un vrai plombier qui ne fait rien qu'un faux plombier qui écrit. Mais je survivrai, j'imagine, il le faut bien. Et c'est une job, après tout, une vraie, avec un horaire et des collègues de travail à qui raconter mes fins de semaine. Je n'aime pas trop les obligations qui viennent avec l'emploi, les menottes invisibles et le gun de Moustache, le nom de Paul Desjarlais et tous les secrets, mais au bout du compte, j'atteindrai quand même mon objectif. Aux yeux du monde extérieur, dont les tiens, je suis plombier.

Avant de refermer la porte du bureau de mon boss, je tente une dernière question.

— Le crucifix, c'est pour quoi ?

Faulkner sourit.

— Connais-tu beaucoup de monde qui ferait confiance à un plombier super religieux ? Jésus, c'est mon épouvantail à moi. Les gens ont un tuyau qui coule, ils entrent ici, ils voient le crucifix, ils ont peur de se faire fourrer par un freak religieux.

— Et ça fonctionne ?

— Plus que tu penses. Dans mon temps, les gens avaient peur de l'Église. Maintenant, ils ont peur de la religion. Un plombier qui prie, ça leur inspire pas confiance.

C'est vrai qu'une prière pour une fuite d'eau, ça vaut pas le diable.

Chapitre 13
Des relents de toi

Fuck, tu me manques. J'ai envie de te kidnapper, de t'emmener loin, le plus loin possible, à l'autre bout du monde, sur un morceau de terre inaccessible. Je te prendrai dans mes bras, et je te serrerai tellement fort que j'aurai des fourmis dans les doigts.

Je barbèlerai des fils tout autour de nous, et on vivra seuls ensemble jusqu'à l'extinction de l'homme.

Tu veux bien ?

Dis oui.

***

Tu te souviens du 16 juin 2006 ? Oui, tu t'en souviens. Tu étais assise sur la quatrième chaise, dans la rangée collée au mur, sous l'affiche de sensibilisation au cancer de quelque chose. À côté de toi, il y avait une femme qui respirait fort, et tu te demandais pourquoi elle n'avait pas pris un siège plus éloigné. Tu voulais lire ta revue, mais il y avait trop de bruit, trop de mouvement, et peut-être trop de moi pour que tu puisses te concentrer.

Moi, j'étais à l'autre bout de la salle d'attente depuis plus d'une heure. Dès mon arrivée, j'avais entrepris de me livrer à mon jeu habituel : observer les filles et choisir avec lesquelles je baiserais, puis avec lesquelles je sortirais, puis les classer en ordre de préférence. C'était un jour de vaches maigres, dans cette salle d'attente aride – vaches maigres comme dans piètre qualité, et non comme dans sveltes salopes. De la petite punk portant le tatouage le plus laid de l'histoire – un dragon en bobettes – à la madame joufflue portant la moustache la plus visible de l'histoire, en passant par elle, elle et elle aussi, j'avais beaucoup de difficulté à trouver mon jeu amusant. Puis, tu es entrée, avec ta robe soleil et ton regard gêné, tu t'es rendue au comptoir comme si ta vie en dépendait. Ce n'est que lorsque tu t'es assise que tu as pris le temps de regarder autour de toi. Tu m'as vu, mais comme je te regardais, tu as détourné le regard.

Ça t'a pris cinq bonnes minutes avant de me regarder de nouveau, cinq minutes pendant lesquelles tu trônais confortablement au sommet de toutes les listes que je pouvais imaginer.

Avant ce jour-là, je détestais les salles d'attente, l'inquiétude ambiante, le temps trop visqueux pour s'écouler. Mais quand tu m'as regardé de nouveau, avec ce piment dans les yeux, mes jambes ont ramolli et je me suis mis à adorer les salles d'attente. Surtout celle de cette clinique de la rue Saint-Hubert qui fait du dépistage d'ITS, version moderne des MTS, où nous étions, seuls attirants dans une masse d'ordinaires – je suis gentil, ils étaient laids.

Tu étais venue chercher tes résultats, j'étais venu passer les tests, ni l'un ni l'autre n'a finalement fait ce qu'il était venu faire. Chaque fois qu'on appelait un nom, j'espérais que ce ne soit pas le tien, encore moins le mien, qu'on puisse encore pour quelques secondes s'échanger nos yeux comme on s'échange des cartes de hockey. Je prends les tiens, je te donne les miens, ils sont pleins de sourires, le vois-tu ? Pleins de sourires et de sexe, petite prière discrète au dieu des robes soleil.

Au bout d'une heure, nous n'en pouvions plus. Tant de tension, comme si nos regards avaient transporté toutes les répliques d'une longue conversation dans un grand restaurant, deux bouteilles de vin plus tard, l'explosion imminente qui ne fait plus de doute. Comme si c'était une semaine à se désirer, un mois à s'attendre.

Tu t'es levée en m'invitant de la tête à te suivre. Je t'ai suivie jusque dans les toilettes pour les handicapés du cœur.

On a baisé comme dans les mauvais films de cul, *hard* mais en silence, ma langue emmitouflée dans ta langue. Sans condom, évidemment. L'ironie m'excitait peut-être encore plus que ton corps.

Je suis venu. Toi pas.

— C'est pas grave.

Ce sont les premiers mots que tu m'as dits, tu te souviens ? Puis, tu as pris ma main et on est sortis des toilettes comme des enfants qui viennent de faire un mauvais coup – ce qu'on était. On a traversé la salle d'attente, imperméables aux regards offusqués de tous ces gens esthétiquement carencés.

— Malgré le frette et les barbares, as-tu dit en riant alors qu'on mettait le pied à l'extérieur de la clinique.
— Pardon ?
— C'est du Richard Desjardins.
— Oui, je sais.

Je ne savais pas.

Mes premiers mots étaient un mensonge. Mais tu savais que je mentais, et ça ne t'a pas dérangée. À ce moment-là, au haut de l'escalier, j'ai su que je t'aimerais toujours, mais ça aussi, c'était peut-être un mensonge.

On s'est frenchés comme des écoliers, *fuck you* la vie, tu ne nous auras pas.

— Veux-tu sortir avec moi ?
— Tellement.

On venait de baiser sans protection dans les toilettes pour handicapés d'une clinique de dépistage d'ITS. Comment ne pas être convaincu que tu étais la femme de ma vie ? Comment, vraiment ?

Pendant qu'on descendait les marches pour affronter notre avenir, tu m'as demandé ce que je faisais dans la vie. Je t'ai dit que j'écrivais des livres. Tu as grimacé.

— Qu'est-ce qu'il y a ?

— Ben, je sais pas... Auteur, vraiment ?

— Ça te déçoit ?

— Non, c'est pas ça.

— Si j'avais dit « terroriste », est-ce que ça aurait été mieux ?

— Oui.

Chapitre 14
Explosion littéraire

Prochain salon du livre, je pose une bombe.

Quatre cents auteurs morts, dont personne n'a entendu parler. Ça ne changera rien à nos bibliothèques, rien à notre portrait culturel. Leurs deux lecteurs s'ennuieront pendant quatre jours. Puis ils liront des poèmes de Brisebois et se trancheront les veines dans le mauvais sens, perdront trois cents millilitres de sang et se sentiront *cheap*. Se trancheront les veines au couteau en plastique, le lendemain on leur demandera ton chat t'a griffé? et ils diront : oui, oui, c'est ça. Je rirai.

Fuck, je rirai.

Chaque année, le Salon du livre de Montréal annonce avec fierté qu'il accueille six cent quatre-vingt-dix auteurs, dont trois connus. Six cent quatre-vingt-sept auteurs traîneront derrière leur table, souriant poliment à des gens qui n'ont jamais entendu parler d'eux, des gens qui payent douze dollars pour entrer dans une grande librairie où les livres sont classés par maison d'édition, c'est pas mieux, c'est pire, on trouve rien sauf des biographies d'auteurs de livres de cuisine. Je cherche un roman policier : il y en a partout mais nulle part. Bonne chance. Achetez, oui achetez n'importe quoi pour vous sentir mieux de ne pas lire. Étoffez votre bibliothèque pour quand matante Linette viendra pendant les Fêtes. Elle vous trouvera cultivé des rayons.

Une bombe, deux, peut-être trois, une bombe sous chaque table ronde, animée n'importe comment par une blasée qui s'en crisse autant que les quatre madames dans le public, assises là par hasard pour se reposer les jambes. Où trouvez-vous votre inspiration pour une pareille histoire rocambolesque ? Dans la vie, dans ce que j'observe autour de moi, sur les poils de mon chat.

Juste boum.

Mes excuses aux livres, c'est aux auteurs que je m'en prends. Terroriste de la phrase nominale. À mort les mains qui poussent les crayons, à mort les têtes qui enflent sous la publication.

Tu m'aimeras davantage, dis ? Tu m'aimeras de nouveau quand je serai un terroriste en prison et que je lirai des vieux Archie ?

Chapitre 15

L'amour avec un grand gars

J'ai tout de suite compris que ce qu'ils veulent surtout, c'est qu'on les trouve intéressants. Qu'on leur mente, donc, la plupart du temps.

Il s'agit, malgré le gun sur ma tempe, d'un emploi taillé sur mesure pour moi.

***

Non, ce grand divan n'est pas en cuirette. C'est de la pure vache de luxe, pelée pour vous avec amour, chers clients de P. Faulkner, fausse plomberie générale et vraie agence de rencontres. Ma première cliente y semble très à l'aise, alors que moi, dans un fauteuil plus modeste, carnet de notes à la main, je me demande un peu ce que je suis en train de faire. Phil Faulkner m'a bien sûr donné une liste de questions, mais il m'a aussi dit « Vas-y comme tu le sens », et je ne le sens pas.

Nous sommes dans un salon lumineux, situé à l'avant de l'immeuble, qui fait penser à la salle de bain. Propre. Décoré avec goût – si ce n'est des rideaux vraisemblablement fabriqués à base de vieille nappe. Pour le reste, mon cynisme n'a rien à dire. Si c'est ici que je passerai le plus clair de mes journées de travail, je suis heureux.

La cliente s'appelle Gabrielle. Je n'essaie même pas de changer son nom, personne ne peut réellement la connaître. Une fausse vedette, qui n'a de célèbre que ce qu'elle imagine dans sa tête parce qu'un jour une caméra l'a filmée pendant trente secondes.

— Et, euh… Où est-ce que je t'ai vue, déjà ?
— J'ai joué dans une publicité de produits naturels.
— Ah oui, je me souviens. T'étais vraiment bonne.

La flatter, c'est la clé, m'avait dit P. Faulkner. Et il avait raison. Dans le sourire de Gabrielle, je vois toute la confiance qu'elle a en nos services. On la comprend, nous. On reconnaît son talent, nous.

— Je passe tellement d'auditions, c'est fou.

Le genre de comédienne qui ne saisit pas que revenir bredouille de la pêche n'est pas forcément source de fierté.

Il était gros d'même, celui que j'ai pas pogné.

***

Elle n'est pas laide, loin de là. Il y a dans ses gestes toute la candeur du monde et dans ses traits une finesse qui me rappelle la fée des dents que je m'imaginais enfant, fantasme épais. Mais elle est blonde, faussement, et avantageusement poitrinée, faussement aussi. L'image, toujours l'image, obsession moderne et meurtrière de la beauté – que vont-ils penser ?

— Il faut que je te demande…
— Oui ?
— En passant, ça te dérange pas qu'on se tutoie ? On est très « famille », ici.

Un autre truc signé Faulkner, évidemment.

— Non, ça me dérange pas du tout. J'aime ça, même, c'est moins stressant.
— Alors ce que je voulais te demander. Et je m'excuse d'avance si ça t'offusque, mais il faut que je pose la question… Tes seins, là… Ils sont pas… Je veux dire, c'est des…

Gabrielle rougit, sourire en coin.

— C'est des faux.
— D'accord. Merci.

Je note.

— Mais ils sont vraiment beaux, ajoute-t-elle. C'est de la très belle job qu'il a faite, le docteur.

Je note également.

Et je poursuis l'entrevue.

— Et qu'est-ce que tu recherches ? L'amour ? Une aventure ? D'abord, est-ce que t'es en couple ou célibataire ?

— Je suis célibataire. Pis, euh, j'aimerais vraiment ça rencontrer un gars qui… un gars parfait, ça existe-tu ?

— Je vais cocher « l'amour », je pense.

— Je pense, oui.

Quand elle sourit, j'arrive à voir ce qu'elle a pu être avant la teinture, avant la chirurgie, avant le maquillage. Elle a dû être très jolie.

— J'aimerais ça qu'il soit grand.

— À partir de quelle taille ?

— Six pieds et plus, je dirais. Toi, tu mesures combien ?

— Cinq et dix.

— T'as quand même l'air grand.

— Je suis assis.

***

Tout ça dure une heure et demie. Et ce n'est que le début. Que le profil de base, les informations brutes, les désirs vulgaires. La deuxième partie de l'entrevue est plus pointue et s'apparente à une évaluation psychologique : l'idée est de la faire parler de tout et de rien, qu'elle en vienne à se confier, à partager sa vie et ses réelles envies, pour que j'arrive à cerner ce qu'elle est et ce qu'elle veut. La grille d'analyse est plus complexe : celle-là a été conçue par Patrice.

Mais cette étape-là n'est pas pour tout de suite.

— Là, je vais t'accompagner jusqu'au studio, au fond de nos locaux, et c'est Marie-Claude qui va s'occuper de toi. On va commencer par des photos et une petite vidéo toute simple, et dans quelques jours on va te demander de revenir pour une séance photo et vidéo plus complète, avec maquilleuse et coiffeuse. La grosse affaire. OK ?

— C'est parfait.

***

Je l'ai confiée à Marie-Claude, qui était plus enthousiaste que jamais. De mon côté, je devrais profiter de la pause pour me reposer, mais il y a quelque chose que je ne comprends pas dans tout ça. Je cogne à la porte du bureau de Phil Faulkner.

— *Yes.*

J'ouvre.

— L'écrivain ! Comment ça se passe à date ?

— Bien, je pense. Mais je me demandais...

— Qu'est-ce qu'il y a ?

— Vous m'avez dit que votre service, c'était pour les big shots, les gens hyperexclusifs, les gens qui peuvent pas être vus sur Réseau Contact...

— Absolument.

— Je pense pas que cette fille-là entre dans cette catégorie-là. C'est pas mal une *nobody*.

Phil Faulkner éclate de rire.

— Je t'aime ben, toi. T'es naïf comme ça se peut pas.

— Euh...

— Je vais t'expliquer quelque chose. L'histoire du hyperexclusif, là... Ça c'est ce qu'on leur vend. C'est ce qu'il faut qu'ils croient. La réalité, c'est que 95 % de notre clientèle, c'est des *nobodies* comme ta fille d'aujourd'hui, comme la madame de l'autre jour, avec sa disquette.

— C'était qui, elle, déjà ?

— Une chanteuse. Elle a eu un hit en 94. Plus rien depuis, mais elle aime ça y croire. Crisse, c'est sa toune qu'elle nous apportait sur une disquette. Qu'est-ce que tu veux que je fasse avec ça ?

— Ouain...

— Fait que c'est ça. T'as pas idée comment ta fille d'aujourd'hui fitte ici. C'est une cliente parfaite. Elle est prête à payer quinze cents piasses parce qu'on est exclusifs. Parce qu'on est secrets. Parce qu'elle a pas le droit d'en parler à personne.

— Mais comment ?

— Elle a même signé un contrat qui dit qu'elle a pas le droit d'en parler. Mais elle va sortir d'ici, et sais-tu c'est quoi la première chose qu'elle va faire ?

— En parler ?

— Oui monsieur. En parler à son amie comédienne qui se cherche un *trip* de cul discret. Ça fait dix ans que je roule sur le fait que personne est supposé me connaître...

— Impressionnant.

— Mets-en. Je pensais jamais que ça marcherait autant. Mais les gens ont toujours de l'argent à investir dans l'amour. Encore plus dans le cul, si ça les aide à pas se faire pogner. Et les gens aiment tellement ça, penser qu'ils sont big shots. Si on leur fait croire qu'ils le sont pour vrai, qu'ils méritent une place dans notre club super VIP, ils vont payer tout ce que tu leur demandes de payer. C'est le marché du cœur pis des fesses. C'est plate, mais ça marche.

— Et c'est vraiment 95 % de *nobodies* ?

— Probablement plus, faudrait que tu demandes à Patrice, il tient des statistiques. C'est un bizarre, Patrice.

— Je le trouve correct, moi.

Faulkner hausse les épaules avant de poursuivre ses explications.

— Mais y en a, des vrais big, parmi tous ceux qui font affaire avec nous. Eux, on les traite bien, je te montrerai. Pour eux, c'est important que ça marche, parce qu'on leur vend pas une fausse célébrité, on leur vend un vrai service de matchage. Mais les autres, c'est moins important que ça fonctionne.

— OK, je vois.

— Les autres, ils s'attendent moins à rencontrer quelqu'un pour vrai, d'ailleurs. C'est juste qu'ils ont l'impression que ce serait la folie dans les médias si y étaient sur un site de rencontres normal. Mais personne les connaît vraiment. Petit chanteur, petite figurante, petit membre d'une chambre de commerce. Je te jure, y a des humoristes qui viennent ici... Sérieusement, je te donne mille piasses si tu les connais. Pis ils payent tous le gros prix pour se sentir importants. Le pire, c'est que ça les rend heureux. Si y rencontrent quelqu'un en plus, pour eux c'est un bonus.

— Mais c'est quand même ça notre but, non ? Qu'ils trouvent l'amour ?

— Oui, c'est sûr. On fait de notre mieux. Mais y a pas de recette magique. On les présente, pis ça clique ou ça clique pas. Je suis pas Dieu, c'est pas moi qui fais les étincelles.

— Mais les entrevues que je fais, elles servent à quelque chose quand même ?

— On les matche du mieux qu'on peut, c'est évident. La première partie de l'entrevue, celle que tu viens de faire, elle est importante. Mais la deuxième l'est moins. L'idée, c'est pas tant de les connaître mieux. L'idée, c'est que ça ait l'air d'être un processus hyper complet, hyper développé, et surtout hyper long. Quand ils passent la journée à nous parler, qu'y vont jusqu'à se confier à nous, ils sortent d'ici convaincus qu'ils en ont eu pour leur argent, avant même d'avoir rencontré qui que ce soit.

Beau modèle d'affaires. Exploiter la faiblesse des demi-célébrités, pourquoi n'y ai-je pas pensé moi-même ? Phil Faulkner poursuit en se frottant les mains, visiblement satisfait de son exposé.

— Tu sais ce qui est le plus drôle, là-dedans ? C'est que tout le monde a l'impression que parce que c'est secret, c'est illégal. Mais pas pantoute. Tout est parfaitement légal. Je suis enregistré comme agence de rencontres, et tout. C'est juste qu'on a un drôle de nom. Mais c'est comme ça qu'on va chercher notre clientèle. Avec un bouche à oreille de monde qui pense faire partie d'un petit groupe underground pas trop catholique dont personne a entendu parler sauf eux. Les gens viennent nous voir parce qu'on existe pas. Fallait y penser.

Phil Faulkner n'est pas millionnaire pour rien. C'est un rusé, et j'ai un peu envie de l'admirer.

— Mais là… C'est bien beau tout ça, monsieur Faulkner…
— Tu peux m'appeler Phil.
— … mais si tout le monde en parle à tout le monde, pourquoi moi j'ai pas le droit d'en parler ?
— Parce que toi, tu travailles ici. Tu sais ce qui se passe, tu sais comment on fonctionne. Si toi t'en parles, tu vas pas nécessairement en parler en bien. Si les clients en parlent, ils en parlent comme si on était la deuxième merveille du monde.
— La huitième.
— Celle que tu veux.
— Je comprends.

— Si t'en parles, oublie pas… je vais le savoir.

— Oui.

— Pis oublie pas, tu peux pas fréquenter les clientes. Je le répète souvent parce que les fausses boules, ça a l'air d'aveugler pas mal de p'tits gars…

— Inquiétez-vous pas.

— Je t'aime ben, toi. Je voudrais pas qu'il t'arrive quelque chose.

Sur cette note de compassion, je quitte le bureau de Phil Faulkner et retourne dans le salon d'en avant.

Gabrielle m'y attend. Quand elle me voit arriver, elle se lève d'un bond.

— Je savais que je te connaissais ! T'es l'écrivain, là, celui qui écrit des livres.

Je suis démasqué.

— Oui, c'est moi.

— J'ai lu tous tes livres. Je suis vraiment une fan.

— Merci, t'es fine.

— Je suis toute gênée, là. Avoir su, j'en aurais apporté un pour que tu me l'autographies.

— Tu pourras l'apporter la prochaine fois.

Elle fait oui de la tête en se rassoyant, tout heureuse.

— T'es mon auteur préféré.

— C'est gentil.

— Tu sais que j'ai toujours voulu écrire un livre, moi aussi ?

Chapitre 16

Tout le monde veut écrire un livre

J'ai longtemps pensé que j'avais une vision unique du métier d'auteur, que j'avais des choses différentes à dire, des idées nouvelles. Que d'accumuler des dizaines d'idées de romans et d'avoir un plan quinquennal d'écriture, ça faisait de moi un être spécial, un qu'on ne croise pas tous les jours. Puis, j'ai compris, de conversations en conférences, qu'ils étaient tous comme moi. Même ceux qui n'ont jamais publié une crisse de ligne. Même ceux qui ont tout publié. Dès que j'entends ce qu'ils ont à dire sur leur métier, je me rends compte que je ne suis qu'un autre parmi ceux-là, et je déprime. Je suis le *cook* tatoué qui se pense différent mais qui dit la même chose que les autres *cooks*. Je suis le guitariste qui joue le même *riff* que les autres en pensant qu'il est unique.

Depuis que j'ai compris cela, chaque fois que j'entends un auteur dire les mêmes niaiseries que moi et que je sens qu'il se croit spécial, je ris de lui dans ma barbe de deux jours, comme si je n'étais jamais passé par là.

On est tous caves, mais eux plus que moi.

***

Apologie de la vocation. C'est comme ça que j'aurais dû l'appeler, le speech que je répète trois fois par semaine à ceux qui me disent qu'ils veulent écrire un livre. Ton cousin m'avait suggéré « câlice de briseur de rêves », mais je pense qu'il était frustré que je n'aie pas pris au sérieux son projet de saga historique.

Tout le monde veut écrire un livre, mais la plupart du temps, ce n'est qu'un « un jour... » suspendu, qu'ils repoussent sans jamais l'oublier, entretenant le mythe de l'inaccessibilité de l'univers des romans. Un jour... Et ils se croient, ils sont convaincus qu'ils le feront, mais pas tout de suite, parce que c'est dur, que ça fait mal et que ça prend du courage. C'est comme ça que naît la poésie de la douleur d'écrire, petite pousse venue d'une procrastination vulgaire.

Je déteste la poésie de la douleur d'écrire, celle qui façonne en héros tant de trous de cul, le faux masochisme qui ne sert qu'à faire pitié. Et les lecteurs embarquent, oh là là il a souffert, ça paraît, oh là là elle a eu mal pendant des années. Ils décident qu'ils ne seraient jamais capables de faire ça. D'avoir aussi mal, aussi longtemps. Pas tout de suite, dans quelques années peut-être, quand ils seront plus forts. Et voilà née l'illusion de l'auteur-douleur, l'Homme-Stylo, qu'on vouvoie par déférence parce que lui, Lui, il a souffert en écrivant la marde qu'on est en train de lire. Respect, *man*.

Et tout le monde pense qu'il peut être celui qui fera ce que les autres pensent impossible. Écrire un livre, comme la pire épreuve. Ils aiment croire que c'est insurmontable, parce qu'ils aiment croire qu'ils sont uniques, si spéciaux qu'eux pourront surmonter ce qu'eux-mêmes ont qualifié d'insurmontable.

Ils sont géniaux, je les aime.

Quand un d'eux, miracle, parvient à mettre le point final à un manuscrit, il se voit déjà le verre de vin à la main, à *Tout le monde en parle*, *best-seller*, à moi les bourses, à moi le prix du gouverneur général et, pourquoi pas, une traduction en hébreu. Et lorsqu'il se rend compte, deux ans plus tard, qu'il n'a vendu que trois exemplaires, il pleure, le quarante onces de gros gin à la main, à *Personne n'en parle*.

« J'ai toujours voulu écrire un livre. »

Et moi, j'ai toujours voulu arrêter d'écrire des livres.

***

Le problème, c'est que ceux qui veulent écrire un livre mais qui ne le font jamais ne veulent pas vraiment écrire un livre. Ils veulent avoir entre leurs mains un livre avec leur nom en gros sur la couverture. Mon conseil : ils devraient se faire connaître pour autre chose d'abord. Devenir comédien, politicien, chanteur, crosseur, animateur, celui qui suce le mieux de son quartier. N'importe quoi pour se faire connaître. Après ça, quand ils seront allés dire à la télé qu'ils sont passionnés, et qu'ils ont perdu leur mère alors qu'ils n'étaient pas encore nés, après ça ils n'auront qu'à sourire à un éditeur, n'importe lequel, et ils seront publiés.

Même pas besoin d'écrire quelque chose, l'éditeur le fera pour eux.

***

Avec tout ce positivisme communicatif, je suis fantastique dans les écoles, quand je vais parler de mon métier. Ça ne m'est pas arrivé souvent, mais chaque fois, je te quêtais un massage avant de partir, parce que ça me stressait. Parler à des dizaines de personnes de quelque chose qui m'énerve, ça m'énervait. Tu me disais de me calmer, de leur parler sincèrement, qu'ils apprécieraient ma franchise.

— Qu'est-ce que ça prend pour écrire un roman, monsieur ?
— Du *guts*. Et, si tu veux que ton livre soit bon, du talent.
— Avez-vous un conseil à donner à un jeune qui aimerait écrire ?
— Arrête de te plaindre, pis écris.

Magnifique.

J'en ai fait deux, des conférences dans des écoles. Et une dans un club de ski-doo. On ne m'a jamais rappelé.

Thank God.

***

J'ai l'*inbox* qui déborde depuis six ans. Des courriels haineux, des amoureux, des invitations et des questions. Je ne réponds plus depuis cinq ans et dix mois. Je lis, je grimace, je passe à autre chose. Tu me l'as toujours reproché.

— Ils prennent le temps de t'écrire, c'est la moindre des choses de leur répondre.

— Oui mais eux, ils en ont juste écrit un, email. Moi, si je leur réponds, faut que j'en écrive mille.

Et tu partais sur mon égoïsme, reproche récurrent, et je répliquais sur le fait que c'était toujours ben de mes crisse d'affaires, comment je gère ma carrière. Tu ne disais plus rien, et on s'embrassait. Tu te souviens comme c'était bon, quand on s'embrassait après avoir parlé littérature ?

Hier, j'ai reçu une mise en demeure de l'Association des manchots et des culs-de-jatte du Québec, qui m'intime de modifier la fin du deuxième chapitre.

Si je leur fais des *fingers*, ils ne pourront pas répliquer.

Chapitre 17

Les vrais auteurs se dopent aux Tylenol Sinus

— Tu devrais l'écrire, ton livre, Gabrielle. C'est important de poursuivre ses rêves.

Je suis un Pinocchio en bois traité, le nez tellement long qu'on veut en faire un deck. Gabrielle n'y voit que du feu et, en plus, elle m'admire. Je devrais être flatté. Je ne le suis pas. Parce que, depuis trois jours, je ne suis officiellement plus un auteur et qu'un non-auteur ne devrait pas avoir de fans. Je n'en dis rien à Gabrielle, espérant faire dévier la conversation vers d'autres sujets palpitants qui me permettront de remplir mon carnet de notes.

— Quand tu dis que tu cherches l'amour, qu'est-ce que tu cherches vraiment ?

J'essaie d'instiguer un moment de réflexion chez elle, n'importe quoi pour qu'elle m'oublie, et qu'elle se souvienne d'elle-même, mais c'est peine perdue. Elle en rajoute. Je ne me savais pas idole, je le suis, aujourd'hui, exactement au moment où je le veux le moins. Il y a quelques années, je me serais baigné dans son enthousiasme. Maintenant, ça me semble si futile.

— Je lisais ton deuxième roman, il y a une couple de mois, et je me demandais... Où est-ce que t'as trouvé ton inspiration pour ça ? Ça me fascine.

— Euh... Ben... Pour le deuxième, je m'inspirais beaucoup de Miron.

— Les carrières ?

— ... Oui.

Pourquoi s'obstiner ?

Dans la case « trait caractéristique » de mon carnet, je note : pas trop *bright*, mais assez belle.

Belle, oui. Et aveuglée par des bouts de papier originaires de mon cerveau. Si je voulais, je n'aurais qu'un mot à dire, et elle et moi on se retrouverait dans un motel *cheap*, ou un hôtel chic, ou un *resort* à Cuba. Et c'est elle qui paierait. J'ai connu des lectrices qui auraient bien voulu prendre une bière avec moi. Des qui auraient peut-être accepté de coucher avec moi, une fois soûles. Des qui auraient aimé me marier. Mais une comme ça, au sexe si manifestement motivé, la bave qui coule le long du menton dès que je parle de mes personnages, de leur vie, de leur bol de céréales, une comme ça, belle en plus, c'est la première fois. C'est troublant. Tentant, même.

Ce serait la première fois que je toucherais des faux seins. La première fois que je te tromperais, aussi. Parce que oui, ce serait ça, même si tu m'as laissé. J'aurais l'impression de te tromper. Tromper son ex, comme dépenser l'argent des autres. Vivre à crédit, tu ne me pardonnerais pas, je me pardonnerais encore moins.

— T'es encore plus beau en vrai que sur ta photo, en arrière des livres.
— Merci.

Je ne le ferai pas. Il y a toi, qui piétines ma conscience de ton absence. Il y a le revolver dans le pantalon de Moustache. Et il y a moi, tout simplement moi, ce n'est pas moi. Je ne l'ai fait qu'une fois, la baise impulsion, et c'était avec toi. Je veux que ça demeure unique, cette aventure de toilettes qu'on racontera à nos petits-enfants – ou pas. J'essaie de me ressaisir, de revenir à la base, à la grille conçue par Patrice. Patrice. Patrice, cet excellent extincteur de libido, dans toute sa banalité terne.

Voilà. Je suis rétabli. Je note quand même, dans la case « idéal typique » : moi.

— Tu sais Gabrielle, écrire, c'est rien de spécial. C'est un métier comme un autre.
— C'est pas vrai, ça. C'est de l'art. Comme moi avec le jeu. J'ai pris des cours de théâtre, moi. C'est pas n'importe quel autre métier, ça. Et puis vous, les écrivains, vous êtes tellement déchirés. Est-ce que c'est vrai que vous êtes tout le temps soûls quand vous écrivez ?
— Quoi ?
— Vous buvez tout le temps, pour libérer vos muses, t'sais… Les vrais écrivains sont comme ça, j'ai vu ça à Canal D.

À Canal D ?

Si les vrais écrivains sont comme ça, je ne suis pas un vrai écrivain. Ce qui est parfait, puisque de toute façon, je ne suis plus écrivain – commences-tu à me croire, mon amour ? Commences-tu à voir que je peux changer, que j'ai changé ? Je n'ai jamais été un vrai écrivain, tu le sais. Je me suis toujours plus dopé aux Tylenol Sinus qu'au vieux Auchentoshan. Je bois trois gorgées de bière et les mots ne sortent plus, les touches s'emmêlent, et je deviens producteur de rien, la gorge nouée, zéro tourment. Loin des vrais dont on parle à Canal D.

Si tu étais avec moi dans ce salon aux rideaux de nappe, tu mettrais ta main contre mon oreille, et tu me chuchoterais des niaiseries. Penses-tu que les filles qui ont des faux seins se parlent entre elles de leur opération, comme les nouvelles mamans se racontent leur accouchement ? « J'ai eu mal, mais c'était le plus beau jour de ma vie. »

Et cette Gabrielle, penses-tu qu'elle parle en baisant ? Une fille qui parle pendant la baise, c'est excitant jusqu'à ce qu'elle pose une question. « Qu'est-ce que t'as envie de me faire ? » Hop. La manivelle du cerveau qui tourne, l'instinct à *off*. Une conversation, maintenant ? Drette maintenant ? Alors on cherche la bonne réponse, celle qui lui plaira, qui ne nous ridiculisera pas, qui... Tu vois, on réfléchit. Ça fait mal, réfléchir, mal à la bandaison, mal aux pulsions.

Je suis sûr que Gabrielle parle en baisant.

Elle parle déjà tant en ne baisant pas.

Je prends des notes, page après page de notes, pour pas grand-chose. Elle me parle de moi, d'elle, des autres.

De ses ex, et je pense à toi, de sa famille, et je ne pense plus à rien.

Et quand je ne pense à rien, je finis toujours par repenser à toi. Toi, de l'autre côté de la rue.

***

Il neige. Dans le ciel et sur ma botte toujours trouée se posent des flocons à l'unité, de ceux qu'on peut compter. Moustache et moi sommes immobiles devant la shop, les pieds dans les mégots au menthol. On fixe le vide. En fait, lui fixe le vide, et moi je fixe notre appartement. Je soupire.

— Grosse journée ? demande-t-il.
— Oui. Ça promet, si y sont tous comme elle.
— Sont tous un peu bizarres, je te l'ai dit.

Quand Gabrielle est partie, elle m'a donné un bec sur la joue, beaucoup trop près de ma bouche. Je l'ai remerciée pour sa confiance. Elle m'a remercié de donner autant à la communauté, en faisant du bien aux lecteurs. J'ai vomi dans ma tête, dégoûté d'être aussi important pour quelqu'un d'autre que toi.

Je ne sais pas ce qu'on attend, Moustache et moi. On ne bouge pas, comme si la neige, l'automne, le poids de la journée nous paralysaient. Je soupire encore. Moustache se tourne vers moi.

— Va te reposer, l'écrivain.
— Tu sais que, juste là, c'est chez...

Il m'interrompt en posant sa main sur mon avant-bras.

— Je te l'ai déjà dit, ça aussi. On peut parler de ce que tu veux, mais pas de tes affaires personnelles.

— Je faisais juste dire que...

— S'il te plaît.

— OK. Scuse-moi.

Il me tend la main. Je la serre le plus fort que je peux. Il sourit et s'en va, grand pic étroit, les jambes trop longues pour un monde comme le nôtre, désarticulé, osseux. Il est beau.

Je regarde vers chez nous, et je me dis que tu le trouverais beau. On l'invitera à souper, si tu veux. Moustache n'a pas fait trois pas – de géant, quand même – qu'il s'immobilise et se retourne vers moi.

— Tu sais l'écrivain, je suis content que tu travailles avec nous. Vraiment content. T'es un bon gars.

— Merci.

Il pointe notre appart.

— Mais venir travailler ici, juste en face de... c'est pas un peu malsain ?

Chapitre 18

Un tison dans le ventre

— Non.

Nous étions là, sur mon lit simple, assis en Indiens, Éric et moi, et il ne me croyait pas.

— Tu me niaises pas ? T'es encore stické là-dessus ?

— Oui. Je vais devenir plombier. C'est le meilleur *move* que je peux faire.

— Pis tu vas vraiment aller te quêter une job en face de ton ancien appart ?

— Oui. C'est la seule place que je connais.

— Les pages jaunes, ça te tentait pas ?

— Tu comprends pas...

— Ce que je comprends, c'est que tu vas te faire encore plus mal.

Il avait tort. C'était justement pour avoir moins mal que j'avais décidé de tout faire pour travailler chez P. Faulkner, plomberie générale. Pour me rapprocher de toi, pour que tu m'aimes de nouveau, pour que tu voies le moi-formule-améliorée. Moins de mots, plus de tuyaux.

Ça faisait trois mois que tu m'avais laissé, et j'émergeais tranquillement de ma torpeur. De jour en jour, l'oreiller était moins mouillé, il se passait même parfois des heures sans que je pleure. Et j'avais envie d'air, de cet air lourd d'automne dans mes poumons.

— J'y vais demain. J'ai lavé mon linge le plus chic…
— Tu t'es rasé.
— Je me suis rasé.
— T'es sûr que c'est une bonne idée ?

Depuis que j'avais emménagé dans ce trois et demi pourri, c'était seulement la deuxième fois qu'Éric venait me voir. J'avais réussi à le repousser pas mal mieux que j'aurais cru, à coups de « J'suis correct » au téléphone et de « Inquiète-toi pas » par courriel. Mais cette fois-ci, j'avais trébuché. Il m'avait écrit « Toujours en vie ? », et je lui avais répondu « Plus que jamais », au lieu du traditionnel et plate « Oui ». Ça l'a inquiété, il s'est pointé chez moi cinq minutes plus tard, en cette veille d'escapade dans la neige avec une botte trouée qui allait mener à ma première rencontre avec Phil Faulkner.

— Tu devrais attendre un peu. C'est correct si tu veux te trouver une job, mais c'est pas obligé d'être ça, et à cet endroit-là en plus. T'es pas encore en état de travailler, je pense.

Éric cherchait à me décourager, mais j'avais en moi un petit tison en train d'allumer mes tripes. Je ne l'écoutais pas. Je savais que le lendemain, en me réveillant, je foncerais. J'avais la confiance à zéro, mais la volonté à trois, trois et demi. Je foncerais. Éric ne savait plus quoi dire pour me ralentir.

— Ils annoncent de la pluie, c'est pas idéal pour aller te présenter. Tu vas être tout mouillé.

— Ils ont passé l'été à se tromper sur la météo. Si ça se trouve, on va avoir le plus beau soleil de l'histoire, demain.

Ou un pied de neige.

— Pis anyway, même si y avait des bombes qui tombaient du ciel toute la journée, j'irais quand même.

— Tu irais pas loin.

— J'ai la tête dure.

— Mais pas blindée.

Éric s'est levé en soupirant. Je l'ai accompagné jusqu'à la porte. Il m'a serré dans ses bras, les amis c'est un peu fait pour ça.

Chapitre 19

J'apprends ton sourire par cœur

« Et si je meurs là-bas, eh bien tant pis pour moi
Je n'avais qu'à savoir qu'on ne rit pas de ces choses-là
Si mon cœur se débat, ne t'en fais pas pour moi
J'ai gardé un sourire en souvenir de toi. »
— Pierre Lapointe

Il n'est jamais trop tard pour une citation. Jamais trop tard pour que d'autres nous disent ce qu'on ne saurait dire nous-même.

Ça fait maintenant deux semaines que je travaille chez P. Faulkner, plomberie générale, comme rédacteur-intervieweur-profileur – je ne sais pas, on ne m'a jamais donné de titre. L'emploi n'a rien d'atroce, l'équipe non plus. Au contraire. Je n'aurais jamais cru qu'être plombier pouvait être aussi agréable. Parfois, je passe la journée complète dans mon coin, sur mon banc, près du mur d'outils qui n'ont jamais servi. Je n'ai toujours pas osé rapprocher mon banc de celui de Moustache, je ne sais pas pourquoi. On dirait que je n'ai pas le droit. J'obéis à des règles que personne ne m'a dictées. C'est moi. Toujours pas trop confiant, mais chaque jour c'est mieux.

Et la job m'aide. Rencontrer ces pseudo-vedettes qui cherchent l'âme sœur me fait le plus grand bien. Il y en a eu cinq, jusqu'à maintenant, tous de purs inconnus aux intentions impures. Un ancien danseur des Grands Ballets canadiens, une conseillère municipale, un joueur de soccer, un animateur de radio et Gabrielle. Pas encore de big shot. Pas encore de vrai. Et c'est parfait pour moi. Les entendre chercher tant d'approbation, les voir masquer tant de malheur, ça fait du bien à mon ego morcelé.

Leur insécurité m'apaise. Leur solitude me fait la courte échelle.

Je suis en train de reprendre forme.

J'ai commencé à traîner dans la rue entre 17 heures et 17 h 30, ton heure de rentrée habituelle. J'arrive de plus en plus tôt, aussi. Peut-être qu'un matin tu seras en retard, trop de *snooze*, ça t'arrivait parfois. Mais rien. Toujours rien. J'ai hâte de te croiser, mais j'ai peur d'oublier ton sourire. Je regarde de plus en plus souvent la photo sur l'écran de la télé. J'avais cessé, quelques semaines après l'avoir collée, je voulais me sevrer un peu. Mais depuis que j'ai commencé à travailler, j'ai repris ma routine, un verre de jus, les yeux sur la photo, une goutte de vodka, un œil sur la photo, trop de café, exorbités sur la photo. J'ai cette peur de ne pas te reconnaître quand je te verrai.

J'apprends ton sourire par cœur, celui que j'espère, au coin de la rue Beaubien, au fil de tes pas, me voilà.

***

Sur la photo, à Oka, tu portes une camisole rose. Toi qui détestes le rose. Et Oka. Pourtant, tu ris, la main dans mon cou, l'autre tenant une pomme massacrée par tes dents si blanches. Il est 18 heures, dimanche soir, et je regarde la télé débranchée.

Je bois.

Je m'ennuie de tes lèvres au sirop d'érable. De tout toi.

Je bois.

C'est maintenant que je veux que tu saches que je suis plombier, même si je ne le suis pas. Que dédicacer des tuyaux, ça ne se fait pas. Que je n'irai pas vomir mon âme derrière un stand au Salon du *washer* trois quarts de pouce.

Je bois. Trop. Trop fort. À grandes gorgées bruyantes. L'alcool traverse mon corps et rebondit. Je ne vois plus clair, on est rendus mille en face du pommier. Comment font-ils pour s'oublier, tous ces anciens amoureux ? Comment font-ils pour se survivre ?

Je bois.

Il me faut toi. Maintenant. Je voulais te croiser, hasard simulé, je n'en peux plus. Je prends le téléphone et je t'appelle. Tu ne réponds pas, tu n'es pas là, où es-tu ? Où es-tu ? C'est encore pire de te savoir absente, j'imagine tout, le pire, un autre. Qui est-il ? Pourquoi ? Comment peux-tu ? Et je me calme. Ton répondeur me parle. Ta voix enregistrée, enregistrée dans ma mémoire. Tu sonnes sirène, de celles auxquelles on ne peut résister. Je suis un marin, bleu marin, tu chantes enregistré et je navigue vers toi sans détour, c'est un couloir, l'amour.

« On n'est pas là présentement, mais dites-nous qui vous êtes, et on va vous rappeler le plus vite possible. » Tu n'as pas changé le message. Ça me fait du bien : j'aime croire que c'est parce que tu veux qu'on existe encore, nous deux sous notre carapace unique.

Bip.

« Salut mon amour. Je... j'espère que tu vas bien. Je voulais prendre de tes nouvelles. Puis... Euh. Te donner des miennes. Je suis rendu... euh... plombier. Je travaille à la shop de plomberie en face de chez nous. Ben... de chez toi. Depuis deux semaines. C'est le fun. J'ai complètement arrêté d'écrire. Fait que... C'est ça. Tu vois que je suis capable de changer... Rappelle-moi, OK ? J'aimerais vraiment ça. »

Je raccroche et me laisse tomber dans le vide.

L'attente cruelle peut commencer. Je dépose ma tête sur le plancher, les yeux fixés sur mon téléphone.

18 h 30.

18 h 35.

18 h 40.

19 h 10.

20 h 35.

4000 h 15.

Le temps comme un boulet.

***

Peut-être que je dormais. Peut-être que je n'ai pas été capable de t'attendre. Peut-être que j'ai rêvé. Quand tu m'as rappelé, j'ai ouvert les yeux si grands que j'ai eu mal à la mâchoire.

J'ignore l'heure qu'il est, mais de la fenêtre, je vois la lune à travers les nuages, et le vent est plus transparent qu'avant. Tu as ta voix des mauvais jours, celle qui craque, celle qu'on entend à peine. Tu as la gorge serrée, tu as pleuré. Ça m'attriste. Il y a du reproche dans tes paroles.

— Tu devrais pas m'appeler comme ça.
— J'ai pas pu m'empêcher. Je m'excuse.
— C'est correct. Refais-le plus.
— Comment ça va ?
— Ça va. Toi ?
— Moi aussi.
— T'es rendu plombier pour vrai ?
— Oui.
— T'es niaiseux.
— Je sais. Je m'ennuie de toi.
— Dis pas ça.

On s'échange des mots tristes pendant un bon moment. Puis, mine de rien, à coups de sourires silencieux, le ton change, comme si on se reconnaissait enfin. Il ne se dit rien d'intense, mais le quotidien qu'on raconte devient moins sombre. On parle de Rosemont, du marché Jean-Talon, de la neige sur tes marches, de la neige sur les miennes. De tout sauf de nous. Dès que je pose un orteil sur ce territoire, tu changes de sujet.

Parler, déjà, fait du bien, ça me suffit, ça devra me suffire.

On ne se dit rien, mais on se parle, et je revis.

Quand enfin la conversation s'essouffle, que le réservoir des banalités est vide, que je sens qu'on va raccrocher bientôt, tu me surprends.

— Fait que là, tu pourrais réparer une fuite chez quelqu'un, toi ?
— Absolument.
— Y en a une chez moi. Depuis hier, ça coule en dessous de l'évier. Viendrais-tu t'en occuper ?
— Euh… Ben oui, c'est sûr.
— Génial. Peux-tu venir demain pendant la journée ?
— Mais tu seras pas là…
— J'aime mieux pas être là. Je suis pas prête à te revoir encore.
— Je comprends. Pas de problème. Je vais passer sur l'heure du midi.
— T'as encore la clé ?
— Oui.
— Merci. T'es fin.

Je suis fin.

Et je suis tellement pris dans mon mensonge que j'ai oublié que je n'étais pas plombier pour vrai.

Chapitre 20

Code 2

Presque tous les matins, dans l'autobus, je me retrouve assis à côté de cette dame qui ronfle à en déchirer le revêtement des sièges, alimentant mes rêves homicides. Mais ce matin, je me laisse bercer par la vibration de son nez, encore transporté par notre conversation d'hier. Ta voix, seulement ta voix, comme tous les antidépresseurs de toutes les pharmacies. Un contact, un premier, le début. Quelques mots, et quelques autres, d'un téléphone à l'autre, et je retrouve de petites traces de bonheur éparpillé.

Ça commence comme ça.

Je ne suis pas pressé, tout le reste peut attendre. J'avais besoin de t'entendre, hier. Dans un mois, j'aurai peut-être besoin de te voir, dans un an, de ta chaleur. Je ne suis pas pressé.

Le trajet en autobus jusqu'au travail est long, mais ce matin, ça ne me dérange pas.

***

Mon sourire me trahit.

— Arrête d'être de bonne humeur, tu me tapes sur les nerfs, lance Marie-Claude.

Elle porte aujourd'hui son plus bel air bête, témoignage d'une fin de semaine trop arrosée. Cernée, courbée, encore plus menue que d'ordinaire, elle transpire le mal de tête.

— C'est pas de ma faute, dis-je. Ça va bien, faut que j'en profite.
— Tu peux pas avoir l'air bête, que je me sente moins seule ?
— T'es pas toute seule... Regarde, y a Moustache qui a l'air de revenir d'un enterrement.
— Ça compte pas, il est toujours de même. *Come on*. Aide-moi.
— Je vais essayer.

Notre conversation fait sourire Moustache. Marie-Claude grogne davantage.

— Vous êtes pas cool, les gars.

J'aime beaucoup Marie-Claude, mais je n'y arriverai pas. Je suis heureux, elle ne m'enlèvera pas ça. En plus, le plombier – le vrai de la plomberie Fury – m'a confirmé qu'il serait chez toi à midi. Service d'urgence à très fort prix. Plus que le filet d'eau sous ton évier, c'est mon mensonge qui me ruinera. Mais si tous mes *slips* de paie des prochaines années peuvent te faire sourire une seule fois, je n'hésiterai même pas.

La vie est douce ce matin. Ta voix. Toi.

Mes rêveries de *daytime TV* sont interrompues par Phil Faulkner, en retard, qui soulève plus de poussière que d'habitude en entrant dans le QG.

— On a un code 2 ! Vous savez tous quoi faire.

Puis il s'enfuit vers son bureau sans saluer qui que ce soit. Je me tourne vers Moustache à la recherche d'une explication.

— Un code 2, c'est une big shot. Une fille.
— C'est tout ?
— Oui.
— C'est quoi un code 1 ?
— C'est un big shot. Un gars.
— C'est pas un peu n'importe quoi ?
— C'est une joke qu'on a partie y a une couple d'années, c'est resté. C'est pas sérieux, inquiète-toi pas. Le boss avait trouvé ça drôle à l'époque, maintenant il trouve que ça nous réveille quand il gueule « Code 2 ». Le pire, c'est que c'est vrai.

Je regarde autour. Patrice semble taper plus vite que d'habitude. Ces mines ne se démineront pas toutes seules, doit-il se dire. Quant à Marie-Claude, elle a redressé le dos un peu, ce qui, dans les circonstances, relève de l'exploit.

***

Les consignes sont simples. Avec un code 2, on ne niaise pas avec les entrevues. Pas de flatterie inutile, pas de détournements de sujets, pas de perte de temps pour faire croire à un processus complexe. Je m'en tiens à la grille, professionnel à chaque geste, précis à chaque observation. Il faut lui trouver quelqu'un, pour vrai, à celle-là. Parce que de se faire dire qu'elle est big ne suffira pas.

— Et surtout, surtout, pas le moindre flirtage avec elle, ajoute Phil Faulkner dans son bureau rose.
— Mais si elle, elle flirte avec moi, qu'est-ce que je fais ?
— Elle flirtera pas avec toi. Elle se cherche un bel homme. Pas un p'tit gars banal.

Eh ben merci.

Gros crisse.

***

Je la connais. Vous la connaissez. Tout le monde la connaît. Quand elle entre dans le petit salon et qu'elle s'assoit sur le divan de cuir, toute la pièce s'agrandit. Ce qu'elle dégage repousse les murs, et son odeur change la couleur des rideaux. L'espace est plus beau. C'est une vraie.

— J'ai adoré votre dernier film.

Elle sourit poliment, avec un reflet de contrariété dans l'œil droit. Elle n'est pas ici pour se faire caresser l'ego – pourtant, j'étais sincère.

— Ça fait combien de temps que tu travailles ici ? demande-t-elle.
— Une couple de semaines.

Elle observe tous les détails de la pièce, de la vitre sale à la déchirure sur le bras de mon fauteuil. Elle me parle sans me regarder.

— Tu faisais quoi, avant ?
— Euh… Rien qui ait rapport.
— Ça veut dire quoi, ça ? Tu faisais quoi ?

Elle me gêne. Quand elle me regarde enfin, en souriant légèrement, je comprends que l'inquisition n'est pas méchante. Ses yeux sont un ciel de printemps, si grands.

— Je travaillais dans un autre domaine complètement. Pourquoi vous posez la question ?
— Je veux savoir à qui j'ai affaire. C'est… comment dire… particulier, ce que vous offrez comme service, ici. Pour être honnête, je suis pas convaincue.
— Je vous comprends. C'est vrai que c'est particulier. Je vous avoue qu'on peut rien garantir, non plus. Mais on va faire tout ce qu'on peut pour vous aider. Si ça vous intéresse, bien sûr.
— Je suis là. Ça doit vouloir dire que ça m'intéresse un peu.
— J'imagine, oui.

L'atmosphère se détend, la confiance s'infiltre tranquillement entre nos voix.

— J'aimerais vraiment ça que tu me répondes par contre, lance-t-elle. J'ai besoin de savoir à qui j'ai affaire, pour vrai.
— Je comprends. J'étais auteur avant de travailler ici. Romancier.
— Intéressant. Tu l'es plus ?

— Non, j'ai arrêté.

Elle réfléchit. D'habitude, ce genre de réflexion est suivie de questions sur mes romans, sur ma vie d'avant, toutes ces questions empilées les unes sur les autres, photocopiées d'une personne à l'autre.

— Je pense pas qu'on puisse arrêter d'être romancier.

Et c'est tout. Après ça, elle ne dira plus un mot sur moi, sur mon ancienne carrière, sur l'écriture. Une vraie, de celles qui nous bouleversent par leur silence. Elle me respecte. Je l'apprécie.

— Comment ça fonctionne ? Tu me fais remplir un questionnaire ?
— Oui, c'est un peu ça. En fait, je vous pose des questions, vous me répondez le plus spontanément possible. C'est juste une première étape. Cet après-midi, après les photos, on entrera plus en profondeur.
— D'accord. Je t'écoute.
— Bon. Euh... Je connais la réponse à celle-ci, mais je la pose quand même. Êtes-vous en couple ou célibataire ?
— Je suis mariée.

Tout le monde le sait. D'ailleurs, j'ai adoré le dernier film de son mari.

— Et ce que vous cherchez, donc, c'est une aventure ?
— Ça fait huit ans que je suis avec mon mari. Je l'ai jamais trompé. Je pense que lui non plus, mais ça serait pas grave. Je l'aime. Vraiment vraiment vraiment beaucoup. Mais l'autre jour, en me regardant dans le

miroir, je me suis trouvé un cheveu gris. Je sais que c'est niaiseux, et je sais que c'est pas vrai, mais je me suis sentie vieille. Et là, les questionnements ont déboulé. Huit ans avec le même gars, est-ce que je suis en train de passer à côté de quelque chose ? Est-ce que je suis en train de passer à travers ma jeunesse sans la vivre vraiment ? C'est ça que je veux savoir. Je veux une… une aventure, oui. Pour savoir si je passe à côté de quelque chose. Tu comprends ?

— Les cheveux blancs, y a tellement rien là. Ce qui fait vraiment mal, c'est le premier poil de nez blanc. Ça, avec des poils dans les oreilles, ça donne un coup de vieux.

Elle rit spontanément. Je poursuis.

— Mais je comprends, oui. C'est sûrement très humain, comme réaction.
— Tu le ferais pas, à ma place, toi ?
— C'est pas mon rôle de vous juger.
— Ça répond pas à la question.
— Non. Non, moi je le ferais pas. Mais je comprends que vous vouliez le faire. Je comprends l'intérêt.
— Es-tu dans une relation, toi ?
— Oui. En fait, pas présentement, mais oui. Mon ex m'a laissé il y a quelques mois, mais j'ai toujours pas l'impression que c'est fini. On a été ensemble pendant cinq ans.
— Tu l'as jamais trompée ?
— Jamais.

Un long silence s'installe dans la pièce. Les murs se sont approchés si près de nous qu'on étouffe.

— Me trouves-tu vieille ?

— Non, pas du tout.

— Je sais pas ce que je veux, pour être honnête. Je veux pas faire mal à mon mari. Je veux pas détruire ce que j'ai. Je veux juste pas avoir de regrets quand je vais être vieille pour vrai.

— Ça, je comprends tout à fait.

Dans ce salon à air comprimé, on jase jusqu'au dîner, de la vie, de l'âge, des foyers pour vieillards, d'adultère et de peines d'amour, passées et futures.

À 11 h 30, je regarde mon carnet de notes. Je n'y ai rien écrit.

— On le remplira ensemble cet après-midi, dit-elle pour me rassurer.

Chapitre 21

Le colonel Mustard, avec le *wrench*, dans ta face

J'ai pris un moment pour inspirer, les yeux fixés sur notre porte, la main dans la poche qui serrait la clé si fort que j'en resterai marqué. J'ai inspiré Montréal au complet, avec l'espoir de ne plus jamais expirer, et j'ai traversé la rue. Je me suis immobilisé au bas de l'escalier. Presque quatre mois se sont écoulés sans que j'y pose le pied.

Je suis encore là, devant l'escalier, et j'ai peur et j'ai mal. Je ne m'attendais pas à ça. Je pensais entrer chez nous et t'aider, revoir notre appartement et croire en nous encore plus qu'hier. Mais je suis figé loin de tout ça, prisonnier devant les marches, tellement de marches qu'il n'existe pas de chiffres pour les compter. C'est étrange. Je croyais me rapprocher de toi en revenant chez nous, mais c'est de la distance que je ressens.

On me tape sur l'épaule. C'est le plombier, avec ses outils et ses vêtements pas propres – il me semblait bien, aussi.

— C'est vous qui avez une urgence ?
— Oui. C'est au deuxième. Après vous…

Si je le suis de près, je ne verrai ni les marches, ni la porte, ni le passé ni l'avenir. Que des fesses de plombier, c'est la seule façon d'y parvenir.

Je déverrouille la porte. Ça doit être la dix millième fois que je le fais, mais cette fois-ci me fait mal au poignet. Nous entrons. Tu n'y es pas. Il fait froid, et ça ne sent plus nous. Ça sent le vide, le sens-tu chaque jour ?

— C'est par ici. Ça coule en dessous de l'évier.

Le plombier pose son coffre à outils, puis ouvre les armoires sous l'évier et y plonge. Il en ressort, fait couler de l'eau, retourne en dessous.

— Tout est ben beau ici. Y a pas de fuite.

Il se déplace pour que je voie bien. Il a raison. Tout est bien beau, il n'y a pas de fuite. Alors pourquoi ? Pourquoi tu m'as dit ça ? Je ne comprends pas.

Je paie le plombier. Ça vaut cher, tourner un robinet.

— Bonne journée.

Je ne réponds même pas. Je reste dans l'appartement, sans comprendre à quoi tu joues. Il y a tant d'histoire ici, dans cette cuisine, et j'ai mal de la revivre. Je pensais qu'être ici nous rapprocherait, comme une étape de plus, un pas vers la réconciliation. Mais non. Je sens cette distance, la distance entre nous qui croît chaque fois que mes yeux se posent sur un souvenir de notre vie ensemble. La poivrière qui ne fonctionne pas. La tuile du coin qui bouge sous le pas. L'amour.

La distance, comme une représentation du temps qui s'étire. Je ne suis pas pressé, mais aujourd'hui, dans ce chez-nous qui ressemble à un chez-toi, je sens que ta main dans mes cheveux, tes caresses dans mon cou, ta peau partout, tout ça devra attendre. Et attendre encore.

Et attendre encore.

Tu es si loin.

***

Ton répondeur clignote. Quatre messages. Je n'ai pas le courage de les écouter. Ça n'a rien à voir avec l'intégrité ; c'est la peur qui me retient. Quatre messages, c'est une vie nouvelle. C'est des gens qui te parlent, un gars peut-être, un gars sûrement.

Y a-t-il une autre vie que la nôtre dans ta vie ? J'y pense et je frissonne, haut-le-cœur d'horreur.

Tu ne me ferais pas ça, dis ?

Quatre messages. Frayeur.

***

Notre lit est défait, et je suis incapable de ne pas penser aux cochonneries, toi et moi enlacés dans toutes les positions possibles. Jusqu'à hier, ça m'excitait. Dans ce présent cruel de lit-pas-simple, je me sens étrangement mal à l'aise. Comme si, soudainement, je doutais que notre intimité ait pu exister. Le malaise de ne plus appartenir à ta vie sexuelle.

Ce même malaise qu'on ressent quand on pense à nos meilleurs amis qui baisent. Le malaise d'une proximité qui ne nous appartient pas. Celui qu'on ressent quand on imagine la caissière de l'épicerie, celle qu'on voit chaque semaine depuis huit ans, avec du sperme sur le visage. Une intimité qui ne nous concerne pas.

Je souffre de me sentir comme ça, ici, devant mon lit.

Pourtant, je t'aime. Pourtant, tu m'aimes aussi, j'en suis sûr. Mais ta nudité veut s'échapper de mes yeux, je n'y arrive plus, à quoi vais-je donc rêver ?

En entrant chez toi ce midi, j'ai brisé quelque chose.

Répare-le, je t'en supplie.

Chapitre 22

Je m'en tirerai noyé

— Hétérosexuelle.

— OK. Une préférence pour une couleur de cheveux ?

— Non. Pas blond, idéalement.

— OK. Taille idéale du partenaire recherché ? Poids idéal ?

Code 2 fait une drôle de moue. Elle ne me reconnaît pas, j'en suis sûr. Je suis un robot qui déverse des questions plates sans trop écouter les réponses. Je coche, et je coche, sans sourire ni émotion.

— Ça va ? me demande-t-elle. T'as pas l'air dans ton assiette.

— Hm. Non, ça va. C'est juste qu'il faut remplir le questionnaire.

— Des histoires avec ton ex ?

Si au moins elle était conne.

— Quelque chose comme ça, oui.
— Tu veux pas en parler.
— Non, pas vraiment.
— Je comprends.

Je retourne au questionnaire.

— Position sexuelle préférée ?
— Vraiment ? Position sexuelle préférée ?

Elle rit d'un rire Bubblicious, qui m'éclate au visage et me sort de ma torpeur.

— Oui, demandé comme ça, ça sonne bizarre.
— C'est *rough* un peu. Y avait pas de préliminaires dans ton carnet ?
— Ça a pas l'air...

Je souris.

— Moi sur le dessus, face au gars.

Je rougis, j'ignore pourquoi. Ce n'est pourtant pas la première fois que je parle de sexe.

— Ça te gêne ?
— Normalement, non, mais là...
— Est-ce que c'est parce que tu m'imagines dans ma position préférée ?
— Euh... non. C'est pas ça.

Je me sens mal.

— Je te niaise, lance-t-elle. J'essaie juste de te changer les idées.

Ça fonctionne. Je ne peux m'empêcher d'imaginer ce qu'elle me suggère d'imaginer, et j'ai les idées bousculées. C'est une issue toute simple, mais j'avais besoin qu'elle me la propose. Je m'en tirerai en m'enfouissant dans tout ce qui peut me faire oublier mon midi chez toi, tout ce qui masquera les odeurs de ta chambre, le froid de la cuisine, l'évier qui ne coule pas, notre sexe qui ne coule plus. Je m'en tirerai en me noyant.

— Est-ce que ça peut être à mon tour, là, de te poser des questions ? demande Code 2.
— C'est pas comme ça que ça fonctionne.
— *Come on*. Juste un peu.

Elle m'amuse. J'accepte. Je me noie dans ses yeux à elle, dans toutes ses émanations sensuelles, dans son sexe et dans sa voix. Pour oublier notre distance, je m'enfonce dans sa proximité. Je m'ouvre. Elle aime ça.

— Tu préfères faire l'amour ou du gros cul sale ?

Elle joue à être vulgaire. Je trouve ça drôle.

— Je sais que t'essaies de me faire rougir encore. Ça marchera pas. Je suis un enfant de la pornographie, moi. J'ai vu plus de femmes nues que de femmes habillées. Y a pas grand-chose qui me gêne.
— Et pourtant, tantôt...
— C'était n'importe quoi. J'avais froid.
— Tellement pas.

On rit de bon cœur, comme des amis de toujours. C'est étrange, mais je prends ce qui passe. Pendant qu'elle me fait rire, je ne pense pas à toi. Des fois, ça fait du bien de ne pas penser à toi.

Code 2 poursuit son interrogatoire, sourire en coin, complice. Plein de questions génératrices de discussions, elle me stimule, elle m'obstine, elle en rajoute. Deux heures ou trois, qui passent trop vite.

— C'est quoi, tu penses, le fantasme le plus répandu chez les gars ?

Je réfléchis.

— La majorité du monde dirait un *trip* à trois, j'imagine. Mais je pense pas que ce soit ça. Je pense que pour vrai, tous les gars rêvent d'une néo-slut qui deviendrait leur blonde pour la vie.
— Une néo-slut ?
— Une fille que tu rencontres par hasard. Tu vas prendre un verre avec. Elle te ramène chez elle, et dès que tu refermes la porte derrière toi, elle se plante face au mur, elle relève sa jupe, et elle te dit « prends-moi » en relevant les fesses. Mais là où le vrai fantasme embarque, c'est que tu veux que ce soit la première fois qu'elle ose faire ça.
— Sauf que si une fille te fait ça, c'est pas la première fois qu'elle le fait. Les filles comme ça l'ont déjà fait mille fois, avec cent gars différents.
— Et celles qui l'ont jamais fait ne commenceront pas avec toi.
— Exactement. C'est un beau fantasme, je trouve. Le genre qui se réalise jamais.
— Presque jamais.

Presque jamais. J'en sais quelque chose.

— Avec mon ex, c'est comme ça que ça a commencé. On s'était pas dit un mot encore, pis on baisait. Autant pour elle que pour moi, c'était la première fois que ça arrivait.

— T'es chanceux.

— Oui. Sauf que là, elle m'a laissé.

— Moins chanceux.

Moins chanceux. Je baisse les yeux. Pour la première fois, je la sens inconfortable. Elle regarde sa montre.

— La journée est finie, je pense, dit-elle.

— Oui, c'est vrai.

— C'était vraiment le fun. Je te remercie.

— Qu'est-ce que je fais avec mon questionnaire, moi ? On en a même pas fait le dixième.

— T'inventeras. C'est pas comme si je croyais beaucoup à ça.

— OK.

— En fait, tiens...

Elle griffonne sur un bout de papier, sourire coquin aux lèvres.

— Appelle-moi.

— Euh...

— C'est toi que je veux. C'est avec toi que je veux une aventure.

— Moi ?

— Oui.

— Pourquoi moi ?

— Parce que... En fait... Écoute, la vraie raison, c'est que si je suis pour avoir une aventure, il faut que ça soit discret à la puissance mille. Il faut que ça soit invisible. Je pense pas que vous allez pouvoir me matcher avec quelqu'un que je vais truster complètement. Tout le monde finit par parler. Alors mon meilleur *bet*, c'est toi. Tu travailles ici. T'as pas le droit de me fréquenter, ton boss me l'a dit. T'as autant que moi à perdre en t'ouvrant la trappe. Peut-être même plus, si j'en crois ton boss.

Je glisse le bout de papier dans ma poche, confus. Avant d'ouvrir la porte pour quitter le salon, elle se tourne vers moi et me regarde droit dans les yeux.

— Ça, et tu m'excites.

Chapitre 23

Le retour du gun à clous

Fin novembre. Ma vessie est sur le point d'exploser, et un lion saute habilement dans un cerceau en feu juste devant moi.

Câlice.

***

J'étais dans un taxi sur le pont Jacques-Cartier, en route, sur les ordres de Phil Faulkner, vers la demeure cossue d'un homme d'affaires qui ne voulait pas sortir de chez lui pour faire l'entrevue préliminaire, quand mon éditrice m'a appelé.

— C'est juste pour confirmer ce qu'on avait dit il y a quelques mois.
— De ?
— Deux séances samedi, et deux séances dimanche.

— Des séances de quoi ?

— De dédicaces, c't'affaire. C'est le salon du livre dans dix jours. Tu nous avais confirmé ça, de midi à 13 h 30, et de 15 heures à 17 heures, samedi et dimanche.

— Ah oui ? Je m'en souviens pas.

— C'est pas grave. Mais tu vas être là ?

— Euh… oui, oui, je vais être là.

Câlice.

J'ai demandé au chauffeur de taxi de s'arrêter pour que je puisse sauter en bas du pont. Il a refusé. Je l'ai trouvé *cheap*.

***

Tiens, un éléphant qui se tient en équilibre sur ses pattes arrière. Et il écrit des romans jeunesse, en plus. Formidable.

C'est aujourd'hui que j'aurais dû poser une bombe. Il y a plein de monde, plein d'auteurs, le dimanche. Et des tables rondes à n'en plus finir.

Mais je ne pouvais pas, à cause de toi. Toi qui fréquentes le salon du livre depuis tant d'années, avec autant d'assiduité, vendredi-samedi-dimanche dans les allées. Je ne t'ai pas vue hier, peut-être y seras-tu aujourd'hui. Je ne veux pas te faire exploser. Je serais détruit si tu mourais.

Depuis lundi dernier, je me suis convaincu que l'épisode de notre appartement n'était qu'un détour. J'ai repensé à nous, le plus fort que j'ai pu, et je nous ai vus, heureux, amoureux, tout nus et imbriqués dans la chair de l'autre. J'ai aimé ça. L'intimité retrouvée. Je m'en suis voulu d'avoir flirté avec Code 2. Tu ne mérites pas ça.

Aujourd'hui, je veux te voir. J'espère te voir, ce serait parfait. Un simple sourire, on ne serait pas obligés de se parler, un regard de loin, un clin d'œil, un échange d'yeux comme dans la salle d'attente de la clinique. Qu'est-ce que tu en dis ?

Je ne poserai pas de bombe ici, mais je ferai exploser autre chose, pour t'impressionner. Je serai ton terroriste à toi, celui que tu aurais aimé que je sois le jour où on s'est rencontrés. Je ferai notre 11-Septembre à nous. Un Cessna dans un triplex sur Saint-Michel, on terrorise à notre échelle. Tu seras fière de moi, dis ?

Tu es soixante-douze vierges à toi toute seule. Tu le savais, ça ?

***

Les gens se pilent sur les pieds, aujourd'hui, et je frétille légèrement à l'idée de vivre la dernière séance de dédicaces de ma vie. Le bonheur dans deux heures, la fin d'une merveilleuse épopée ratée. Le retour à une vie de non-non-vedette, plus rien comme témoin de mon passé honteux que quelques exemplaires dans les biblio-thèques et les librairies.

Évidemment, personne n'est au courant de cet évé-nement historique, alors ça n'afflue pas à mon stand. Pas plus qu'aux autres, d'ailleurs, les gens préférant se tenir au milieu des grands couloirs, pour être certains de ne pas se faire interpeller par des auteurs trop avenants qui se prennent pour des vendeurs d'assurance.

« Aimez-vous les livres policiers ? J'ai un bon bouquin pour vous ! »

« Avez-vous peur de mourir ? J'ai une bonne police pour vous ! »

« Aimez-vous Harry Potter ? J'ai écrit la même chose, mais en vraiment moins bon ! »

J'observe une femme qui essaie de se faufiler avec une grosse poussette entre deux rangées de livres quand on me tape sur l'épaule et que, simultanément, on me perfore le tympan.

— Hé ! Mon préféré !

C'est Gabrielle, dans toute sa fausse splendeur, les cordes vocales à 10. Elle est accompagnée d'un homme dont j'espère franchement qu'il ne fait pas partie de nos bases de données, musclé et bronzé, fier et fatigué. Gabrielle le pointe fièrement.

— J'ai pas eu besoin de vous, finalement !
— Chut... Faut pas en...
— Ah oui, c'est vrai. Je m'excuse.

Je souris poliment et prends une gorgée d'eau, puis une autre, puis une autre. J'attends qu'elle dise quelque chose ; moi, je ne saurais pas quoi.

— J'ai apporté ton livre, pour que tu me le signes !
— Je suis là pour ça.
— Je suis tellement contente, t'as pas idée. As-tu besoin d'un crayon ?
— Non, ça va, j'en ai un.

J'essaie de faire la conversation pendant que je cherche quoi lui écrire.

— Avez-vous fait le tour ?
— Oui, mais y a trop de monde, han ? C'est super dur de voir les livres. Tu me le signes-tu ?

Pression.

« À Gabrielle,

En l'honneur des carrières Miron,

Bonne (re)lecture »

Et je barbouille quelque chose qui ne ressemble même plus à ma signature. J'ajoute des x, au nombre de trois.

— Hon, tu m'as mis des becs. T'es fin !

Elle secoue la main en guise d'au revoir, on est loin du quasi-french de l'autre jour. Son chum ne me regarde même pas. Il semble se demander ce qu'il fait ici.

Pourtant, je suis sûr qu'il aimerait les albums de Léon.

***

Les minutes passent, quelques lecteurs intéressés aussi. Pas d'histoire, petits mots mollo, remerciements variés. Ce sont des moments de pas-si-pire-être qui ne dureront pas, je le sais bien. Puis, bingo, voilà un jeune homme qui se lance vers moi, avec d'énormes sabots. Un gars que je ne connais pas, pas très grand, pas très bâti non plus. Si j'ai à me battre aujourd'hui, je choisis lui.

Il n'a pas l'air très heureux.

— J'ai lu ton livre, là et il faut que je te dise... Je comprends pas pourquoi un éditeur a accepté de publier ça. C'est banal, c'est facile, c'est même pas drôle, c'est mal écrit. Je veux pas te faire de peine, mais c'était vraiment pénible à lire.
— Je...
— Excuse-toi pas. Mais je trouve que tu devrais avoir honte. On dirait que quand t'écris, tu mets des mots n'importe comment ensemble. On te lit, puis on est pas sûr que t'as fini ton secondaire.

Charmant.

— C'est plein de fautes, en plus, poursuit-il.
— C'est pas des fautes, c'est du style.
— Si ça c'est du style, moi je m'appelle Napoléon. En tout cas, je voulais juste venir te le dire en personne, parce que je pense que ça peut t'aider à t'améliorer.
— Ben... Je te remercie.

Comme dans « Je m'en fous pas mal ». J'attends qu'il parte, mais il sort plutôt un exemplaire de mon roman de sa sacoche-pour-hommes.

— Me le signes-tu ?
— Pour vrai ?
— Ben... Tant qu'à être ici...
— Comment tu t'appelles ?
— Marc-André.

« À Napoléon,

Fuck you, t'as pas de goût. »

***

Est-ce que ça va finir un jour ? Gorgée par-dessus gorgée, clou dans la tempe par-dessus clou dans la tempe, c'est la séance de dédicaces la plus longue depuis Gutenberg.

Ils me regardent tous, une fraction de seconde chacun, c'est lourd. Puis tout se calme, on dirait que plus personne ne me voit. Ils passent devant moi sans me regarder, sans regarder mes livres, pendant quelques minutes. Ça fait du bien. Je peux me réfugier dans mes mains et attendre la fin des temps. Sauf que la vie n'est jamais si belle à la place Bonaventure. Du coin de l'œil, je vois arriver mon ex-ex Lily, celle d'avant toi, sourire en coin et boules jackées.

C'est avec elle que je regardais des films de cul. Je ne sais pas pourquoi j'en parle, ni pourquoi j'y pense, là maintenant, alors qu'elle s'accote sur ma table.

— J'ai pas le temps de te parler, je voulais juste te faire un coucou.

Et elle repart comme elle est venue, me laissant quelques souvenirs érotiques qui ne sont pas si bien-venus que ça.

***

Aujourd'hui, ils se sont donné rendez-vous pour me voir, les folles et les ex-ex, les épais et les normaux.

Mais pas toi.

Toujours pas de toi, et je m'impatiente. Il reste cinq minutes à ma séance, et tu n'es pas venue me voir. Je t'en veux, un peu, je me sens mal de t'en vouloir mais je t'en veux. Je t'ai attendue, je t'ai cherchée, où étais-tu ?

Ça m'énerve. Tu m'énerves.

J'aurais aimé te sourire aujourd'hui, comme le jour de notre rencontre, et qu'on se foute du monde autour. Malgré le frette et les barbares.

À la place, j'ai dû sourire à des dames qui cherchaient Janette.

***

C'est terminé. J'ai compté les dernières secondes, et j'ai sabré le champagne dans ma tête, seul à célébrer, accolade unilatérale.

{

La fin de ma carrière.

J'enfile mon manteau et m'apprête à partir sans dire au revoir, mais le chemin est bloqué par un genre de masse mobile. Droit devant moi, une grande et magnifique femme que je connais bien s'approche, suivie par cinq ou six groupies qui lui tètent des autographes. C'est Code 2, douce et adorable, plus belle que l'autre jour encore – je n'aurais pas cru cela possible. Je l'imagine entrer dans un restaurant ; les gars loadés de torticolis.

— Salut, dit-elle.

— Salut, toi.

— J'ai lu ton premier.

— Ah ?

— J'ai beaucoup aimé ça. J'ai reconnu ton langage, ton intelligence aussi.

— Merci.

Elle me fait du bien. Elle touche le col de mon manteau.

— Est-ce qu'il est trop tard pour le faire dédicacer ?

— Non, pas du tout. Ma dernière dédicace à vie.

— Il y en aura d'autres. Tu le sais juste pas encore.

Je m'apprête à signer.

— Peux-tu le dédicacer à mon mari ? Je veux lui donner, je suis sûre qu'il va aimer ça.

Elle a dans le regard un air de défi qui me trouble. Elle se rapproche de moi pendant que je signe. Je respire à pleins poumons le sexe qui émane d'elle. Weird. Excitant. Mélangeant.

— Tu m'as toujours pas appelée.

Chapitre 24
Prends-moi

Elle porte une robe de soirée noire, belle à éparpiller les mâchoires sur le sol. Elle m'a dit d'entrer, j'ai poussé la porte de la chambre 237 d'une main tremblotante. Elle m'attend. Elle sent bon.

Ses mains contre le mur, la lèvre mordue, elle remonte sa robe, se cambre et soulève les fesses.

— Prends-moi.

Je ne dis rien. Un pas, puis un autre, lentement. Pendant que je détache ma ceinture, je glisse mes pieds sur le sol au rythme de sa respiration. Mon cœur court un marathon. Je me place derrière elle et la pénètre lentement. Je mords son cou.

— C'est pas la première fois que tu fais ça, han ?

— Non, mais ferme ta gueule pis baise-moi.

***

Si je dois mourir d'une balle dans la tête, ça aura été pour une bonne cause : répondre aux questionnements d'une femme qui, se sentant vieillir, craignait de gaspiller sa jeunesse. J'ai grand cœur.

C'était du sexe sublime, sans amour, plein d'instinct. Couchée sur le lit, la tête contre mon épaule, Code 2 soupire.

— Je l'aime, ton fantasme.
— Te sens-tu vieille ?
— Non.
— Te sens-tu mal ?
— Non plus.

Elle m'embrasse. Je sens qu'elle veut éviter de réfléchir et vivre un peu. J'essaie de l'imiter. C'est un peu par vengeance que je l'ai appelée, pour te faire regretter ton absence au salon du livre. Mais maintenant, dans cette suite de luxe d'un grand hôtel du Vieux-Montréal, je ne veux plus penser à toi. Pas avant de remettre les pieds dehors. Quelques heures de plaisir, sans toi, sans bonheur non plus. Juste le plaisir physique de baiser violemment avec la plus belle femme au monde – cette fois je ne mens peut-être pas.

— T'as jamais fait de scène de cul, dans un film ?
— Non.
— Tu devrais.

Elle joue très bien la fille qui tripe sur moi. Je sais que ce n'est pas vrai, je sais qu'elle aime son mari, mais je sais aussi qu'elle a besoin de vivre cette aventure à fond. Si elle doit creuser au plus profond d'elle-même, je veux bien être sa pépine.

Je plonge entre ses jambes sans l'avertir, ma bouche contre son sexe, et elle gémit jusqu'au lendemain matin.

***

Je ne veux pas mourir. Elle ne veut pas que son mari sache qu'elle le trompe. *Win-win.*

Nous serons discrets à outrance, à nous faire douter nous-mêmes qu'il se soit passé quelque chose, et qu'il s'en passera encore – parce que vraiment, c'était bon. Je suis écrasé dans le lit, épuisé de l'exercice et du peu de sommeil qui a suivi. Le soleil matinal m'aveugle.

— As-tu faim ?
— Oui.
— Je vais commander du room service.

Elle nous fait livrer un seul repas, qu'on partagera, parce que c'est comme ça que les problèmes commencent : une réceptionniste qui dit à une autre que la célébrité a commandé deux repas, et tout l'hôtel se met à se questionner, puis la ville. Et dans la ville, il y a son mari, et Phil Faulkner.

Je me réfugie dans la salle de bain quand le très-petit-déjeuner nous est livré. On mange dans le lit, parfois des patates, parfois des fruits, parfois des bouts de peau dans nos cous. Parfois un lobe d'oreille. Parfois un sein. Parfois un pénis. Parfois tout.

On rassasie toutes nos envies.

Puis on se quitte.

Je sors de la chambre, volant un dernier baiser que j'enregistre sur mes lèvres pour le revivre pendant le reste de la journée. Code 2 restera dans la chambre une heure ou deux encore.

Personne ne doit savoir, personne ne saura.

***

Je ne m'aime pas. Je me sens coupable. Je te trompe.

Mais c'est plus fort que moi, *boys will be boys*. Pulsions sexuelles, on ne dit pas non longtemps à une fille comme ça. Et ça me fait du bien, comme une vidange d'émotions lourdes, remplacées par des émotions fortes.

***

Elle m'a donné rendez-vous à un coin de rue que je n'ai jamais foulé, par une soirée douce en ce mois de décembre printanier. Elle arrive dans une Ford Focus de location. J'ouvre la portière, m'assois sur le siège du passager, mou et usé. Elle me fait signe de me taire et démarre. Pendant une heure, on roule, sur la 20, puis la 30, vers l'ouest.

On ne dit rien. De toute façon, on ne s'entendrait pas : du Velvet Underground joue, dans le tapis, pendant tout le trajet. Parfois, je la vois chanter, mais je ne l'entends pas. On roule encore, mais on est rendus sur un petit chemin de terre, dans un coin de pays que je ne connais pas. Quand on ne voit plus les branches, on voit la brume.

On est au milieu de la forêt, et le chemin de terre meurt subitement. Code 2 immobilise la voiture, éteint le moteur, puis les phares. Il fait noir, terriblement noir. Nous allons dans un chalet, sûrement. Une soirée romantique, sûrement.

Elle sort de la voiture, me fait signe de la suivre. Je n'ai pas fait trois pas qu'elle me prend par la chemise et me colle contre un arbre. Je fige. Elle se met à genoux, détache mon pantalon et enfouit mon pénis au fond de sa bouche. Je bande en une seconde.

Je vais jouir. Elle le sent, elle arrête net, cruelle. Elle lève les yeux et sourit. Elle s'éloigne de moi, se déshabille. Je ne vois que sa silhouette ; la lune ne nous éclaire pas assez, maudite lune. Je vais la rejoindre plus creux dans la forêt, en me déshabillant du mieux que je peux.

Quand je touche sa peau, elle frémit. La courbe de son dos m'invite. Je la veux, elle me veut. Je la prends par-derrière, par terre, dans la terre, les feuilles mortes et la mousse. Elle jouit. Moi aussi.

On essaie de reprendre notre souffle. Elle prend ma main.

— Ça, c'était mon fantasme à moi.
— Je sais même pas où sont rendus mes vêtements.

Chapitre 25

Je n'aime pas la boxe

Il y avait des travaux, ce matin, sur Beaubien. L'autobus a dû faire un détour, et il s'est retrouvé pris dans un espace trop étroit pour lui. Même la dame qui ronfle s'est réveillée. Ça grognait autour de moi. Il y avait dans l'air ce besoin de trouver un responsable à tout, tout le temps, ce besoin qui régit nos vies depuis quelques années. J'ai décidé que c'était la faute de la Ville, et je suis descendu de l'autobus, plus inquiet que mécontent. Je ne crois pas que Phil Faulkner soit du genre à apprécier les retardataires.

Je suis en retard.

Je marche le plus vite que je peux, je transpire – il fait chaud, je n'aurais pas dû mettre mon manteau d'hiver –, pourtant on est en plein décembre. À bout de souffle, j'arrive chez P. Faulkner, plomberie générale, en prenant bien soin de ne pas regarder vers chez toi.

Depuis la fois du plombier, j'évite de regarder notre appartement. J'ai peur de revivre la distance de cette fois-là, je ne veux plus de cette douleur. Je t'ai laissé un message pour te demander pourquoi tu avais inventé une fuite. Tu ne m'as jamais rappelé.

J'ai peur que tu m'oublies, alors j'essaie de t'oublier le premier, mais ce n'est pas facile. Si l'aventure avec Code 2 avait une chance d'être plus, j'y arriverais peut-être, bouts de seconde par bouts de seconde, mais c'est tellement juste une aventure, et tu es tellement plus, de toute façon. J'ai de la misère à comprendre mon existence. Je suis mélangé, comme si peine d'amour et joie de sexe se livraient un combat en moi, combat dont je ne suis que le spectateur. Moi qui n'aime pas la boxe.

Je tire la porte et j'entre. Crucifix.

— Salut, Jeez.

J'abrège, je suis en retard. Et trempé. Avoir su, je me serais badigeonné tout le corps de mon antisudorifique Old Spice Extreme Protection – voilà un nom de produit qui inspire confiance. Je tire la porte du QG, pas-gni, et j'entre. Moustache m'intercepte dès mon premier pas dans la poussière.

— Le boss veut te voir.
— Je suis dans la marde ?
— Aucune idée.

Marie-Claude me lance un mini-bonjour quand je passe près d'elle, en route vers l'échafaud. Je le lui rends, mais aucun son ne sort de ma bouche. J'ai les cordes vocales nouées. Comment un homme peut-il m'effrayer autant ? Ce n'est qu'un léger retard, et j'ai une bonne excuse : c'est la faute de la Ville.

Je traverse la cuisine, enlève mon manteau, constate que le micro-ondes est crotté, et cogne à la porte du bureau de Faulkner.

— *Yes.*

J'ouvre la porte et le gros homme, bien installé dans son fauteuil, me lance un grand sourire.

— L'écrivain ! On t'attendait.

J'entre plus creux dans le rose du bureau et j'aperçois, élégamment assise dans l'autre fauteuil, Code 2, qui me salue poliment, sans même sourire.

— Bonjour, dis-je faiblement.

Je ne sais pas où me placer dans ce bureau manifestement conçu pour n'accueillir que deux personnes – et encore, un gros et une petite seulement. J'opte pour le mur de classeurs, tout en essayant discrètement de voir s'il y a sur moi des traces de transpiration – une enquête sans conclusion probante ; j'assumerai donc que oui, et je me sentirai mal jusqu'à la mort des deux personnes dans la pièce.

Faulkner me pointe de l'index.

— Je le savais que tu serais meilleur que moi.

— Je... je comprends pas.

— Madame est venue exprès pour te féliciter pour son profil, que t'as écrit.

— C'est vrai, je suis très satisfaite, ajoute Code 2 en souriant. Non seulement ça me représente très bien, mais en plus c'est extrêmement vendeur.

Phil Faulkner est fier comme un pape, heureux du flair qu'il a eu en m'embauchant.

— Beau travail, mon grand.

Je suis devenu son grand. Je grimpe dans l'échelle des compliments de Faulkner : de « p'tit gars banal » à « mon grand », c'est vertigineux. J'ai le vertige – surtout à cause du décolleté de Code 2.

— Y a juste quelques détails que madame aimerait vérifier avec toi. Tiens, je t'ai ouvert son profil sur mon ordinateur. Je vous laisse regarder ça, moi j'ai un rendez-vous sur la Rive-Sud.

— Merci, monsieur Faulkner, répond Code 2 sur le ton d'une fausse conseillère financière dans une annonce de banque.

Phil Faulkner prend son manteau et nous salue. Dès qu'il a refermé la porte derrière lui, Code 2 me fait son air le plus cochon ; chez elle, tout est subtil, même ses airs cochons. Un petit sourire, l'iris lubrique, une imperceptible morsure de la lèvre inférieure. Mais je n'ai pas la réaction qu'elle escomptait. En fait, je n'ai pas de réaction. Elle, ici, alors que ce n'est pas du tout nécessaire, c'est jouer avec le feu. Elle semble déçue que je ne lui saute pas dessus.

— Qu'est-ce que tu as ? Ça va pas ?

— Pourquoi t'es venue ici ? C'est dangereux pour rien...

— C'est excitant, non ?

— Je sais pas.

— T'as pas envie de moi ?

— C'est pas ça... Mais... si quelqu'un apprend quelque chose...

— Personne va le savoir.

— Ça prend juste une personne qui entre dans le bureau sans cogner. Ou juste une qui nous entend.

— On fera pas de bruit.

Elle se lève, s'approche de moi. Je suis encerclé par son sourire, son odeur et ses caresses. À eux trois, ils ont raison de mes craintes. Elle détache ma ceinture, baisse mon pantalon pas de poches. Je déboutonne ma chemise trop petite.

Et je ne bande pas.

Il y en a trop dans ma tête. Le gun de Moustache. L'image de Phil Faulkner. Et toi.

— Laisse-toi aller.

J'en suis incapable. Les deux autres fois, loin du connu, hôtel de luxe et forêt fournie, je ne pensais à rien d'autre qu'au sexe, et c'était bon. Ici, là où je travaille, près des gens que je connais, c'est différent.

Je ne bande toujours pas.

— Je t'excite pas ?

Si j'étais capable de me concentrer sur elle, elle m'exciterait. Mais c'est à toi que je pense. À notre appartement à quelques mètres d'ici. À notre lit.

À nos cochonneries à nous.

Code 2 abandonne. Elle se relève, je me rhabille.

— Je suis désolé.
— T'es plate.

Elle attend que j'aie terminé de m'habiller, puis me donne un bec sur la joue et s'en va sans dire un mot de plus.

Ça ne me dérange pas de la décevoir. Ce qui me dérange, c'est cette impression que je te déçois, toi. Comme si tu pouvais le sentir, comme si tu le savais, parce que tu n'es pas loin.

J'ai vraiment un problème avec les distances.

Docteur Murphy ?

Chapitre 26

La chair de poule des amants rôtis

C'était il y a trois ans. Tu étais revenue crevée d'un voyage inutile à Scottsdale, Arizona, où un Américain moustachu t'avait fait une présentation de ses produits informatiques – il avait l'air analphabète, m'avais-tu dit.

Tu étais morte, et pourtant tu n'avais pas envie de dormir. Tu avais froid, tu voulais que je te réchauffe. On s'était glissés sous les couvertures tout habillés, et on s'était englués l'un dans l'autre lentement, le bonheur d'être amoureux. Ce soir-là, à ce moment-là, tu m'as embrassé comme jamais une femme n'a embrassé un homme. J'ai eu chaud, tellement chaud, et quand tu as glissé ta main dans mes cheveux, tu m'as donné la chair de poule.

La chair de poule quand on a chaud, c'est la meilleure. C'est le bonheur qui essaie de sortir par toute la peau.

On s'est déshabillés lentement, morceau par morceau. Nos gestes étaient lents, précis, comme si un chorégraphe nous avait fait pratiquer chacun de notre côté pendant des mois. Pas un faux mouvement, pas de crampe dans le mollet, pas de bras coincé. On s'est retrouvés nus sous les couvertures, bouillants, et on ne voulait pas se décoller l'un de l'autre. On a fait l'amour, oui, l'amour, longtemps, lentement, tendrement. Des mouvements patients, des vagues puissantes, on a pris notre temps et, au bout d'une heure, on a joui en même temps. C'était la baise la plus longue et la plus lente, la plus douce, surtout.

On avait chaud, on a poussé les couvertures en bas du lit. Et on a recommencé. Un peu plus vite, un peu plus dur, toujours collés, toujours tendres.

Ça a duré moins longtemps, c'était tout aussi bon.

Une heure plus tard, on a recommencé. Je t'ai prise par-derrière, tu as crié, c'était bon, c'était *hardcore*. On s'est essoufflés, on s'est effondrés.

On a parlé.

Il devait être quatre heures du matin, la lueur bleue d'un soleil qui s'éveille traversait la fenêtre jusqu'à ton corps. J'en ai voulu plus, toi aussi. On s'est donnés, cette fois-là avec violence. C'était plus cru que tous les films de cul, c'était bestial, tu m'as griffé, je t'ai frappée, on s'est noyés dans notre sueur, dans l'extase de l'instinct, ça faisait mal et c'était bon.

Quand tout s'est terminé, tu t'es étendue sur le dos, mon sperme sur ta joue. Tu as souri, tu as soupiré et tu as dit :

— J'aime ça faire l'amour avec toi.

***

Même quand on se défonçait, avec des claques et des crachats, avec du sperme et de la bave, même ces fois-là, on faisait l'amour.

Avec toi, c'était toujours l'amour.

Chapitre 27

Ce castor qui me gruge les tripes

Avec Code 2, ce n'est jamais l'amour. Et ça ne pourra jamais l'être. Parce qu'il y a son mari, et qu'elle ne veut rien d'autre qu'une aventure, oui. Mais surtout parce que toi. Tout simplement toi.

Parce que, si j'ai pu t'oublier une heure ou deux, par-ci par-là, pendant les baises avec elle, tu reviens toujours plus fort dans ma tête, tu cognes, tu frappes, tu te débats, je ne t'oublie pas. Je ne t'oublie plus.

Et je suis désolé.

J'ai dans ton dos cette aventure qui ne vaut rien d'autre qu'un peu de bien-être, de faux bonheur, antidépresseur version chair humaine. Mais mon corps résiste, mon cœur résiste, aucune pilule ni aucune femme ne peut me guérir complètement. Tu es mon seul remède, je te l'ai déjà dit.

Pardonne-moi.

Je me sens coupable de te faire ça.

Tu ne le mérites pas.

La culpabilité comme un castor, qui ronge jusqu'à faire tomber les arbres, les forêts entières. C'est tout mon écosystème qui se meurt dès que je pense à toi. Je me sens injuste, méchant, j'ai l'écosystème brûlé jusqu'aux racines. Je n'en peux plus.

***

Code 2 et moi sommes assis sur le bout du lit d'un autre hôtel, tout habillés, c'est rare. Elle a bien tenté de m'enlever ma tuque, mais je l'ai repoussée.

— T'es fâché parce que je suis allée à ta job l'autre jour ?
— Je suis pas fâché.
— T'as l'air.
— Je suis perdu.
— Je sais.
— Pis t'es pas une bonne boussole.
— Je sais.

Elle prend ma main. Je regarde le plancher.

— Je peux pas. Je peux plus.

Elle comprend, je le sens. Elle serre ma main plus fort, mais ce n'est pas pour me retenir. C'est pour que je sente qu'elle est là.

— C'est ton ex qui t'habite, c'est ça ?

— Oui.
— C'est correct. Moi j'ai mon mari, qui m'habite. Je comprends.

Je lève les yeux. Elle est belle.

— Dans une autre vie, je…

Elle m'interrompt.

— On n'est pas dans une autre vie. Pis dis-toi que celle-ci est pas pire pantoute. On a eu du fun.
— Beaucoup de fun.
— Oui. Tu m'as appris plein de choses, l'écrivain.
— Ah oui ?
— Oui. Tu m'as appris que j'avais pas besoin de ça. C'était le fun, je profitais des moments, mais j'avais pas l'impression de profiter plus de ma jeunesse. Et t'sais, moi aussi, je me sens coupable.
— Ah oui ?
— Oui. Peut-être moins que toi, mais quand même. Je recommencerai pas.
— C'est bien.
— Pas avant d'être vieille pour vrai.

Les ruptures, quand il n'y a pas d'amour, sont tellement plus faciles. On coupe la ficelle, et soudain on se sent plus libres – même si on ne s'était jamais rendu compte qu'on était attachés.

Je me sens mieux. Code 2 aussi.

— Un dernier french pour la route ?
— Absolument.

Chapitre 28

Le froid du métal sur mon front

Noël approche. Je t'ai acheté un cadeau. Tu te souviens, l'été dernier, quelques jours avant que tu me laisses, on marchait sur Mont-Royal, et tu avais vu un collier dans une vitrine ? Tu avais réprimé un petit cri d'amour pour ce collier. J'avais ri de toi. Tu me l'avais reproché. Tu t'en souviens ?

Je te l'ai acheté.

Enfin, je pense que c'est lui.

Tu pourras l'échanger, j'ai gardé la facture.

Je suis en train de l'emballer, je le laisserai devant la porte de chez nous. Mon papier collant ne colle pas. Tu m'excuseras si un coin de l'emballage s'est défait quand tu le trouveras.

Dehors, il neige, une vraie tempête, avec un vent qui fait siffler les fenêtres de mon logement. Elles sifflent mal, comme moi, et fort, tellement que Moustache doit sonner deux fois pour que je l'entende.

— Moustache ? Qu'est-ce que tu fais ici ?
— Est-ce que je peux entrer ?

Il a des flocons plein les sourcils et un chapeau de poil ébouriffé. Il est sérieux, tellement que je m'inquiète.

— Est-ce que ça va ?

Il ne répond pas. Il enlève son chapeau, puis son manteau, et les dépose par terre – je n'ai pas de crochets. Il regarde autour de lui, à la recherche d'un endroit où s'asseoir. Ça fait mon affaire, grande affaire de sept pieds deux qui fait tordre le cou quand on essaie de le regarder dans les yeux.

Il choisit le lit. Je l'accompagne.

— Qu'est-ce qui se passe ? T'as vraiment pas l'air de bien aller. Comment t'as su où j'habitais ?

Il me regarde droit dans les yeux. Il a toujours cette gueule de tueur qui m'avait tant impressionné le premier jour. Mais il ne m'impressionne plus. Il a l'air triste, je m'inquiète. Il prend une grande respiration, comme pour se calmer. Puis il m'adresse enfin la parole.

— T'as pas idée comment ça me fait chier de devoir te faire ça.
— Me faire quoi ?

En un mouvement brusque, il sort son revolver de son pantalon et en colle le canon sur mon front.

— T'aurais jamais dû faire ça, dit-il, visiblement excédé. Tu le savais, pourtant.

C'est la première fois qu'une arme est pointée vers moi. Le métal est glacé, je tremble. Je ne comprends pas ce qui est en train de se passer.

— Qu'est-ce que j'aurais pas dû faire ? De quoi tu parles ? Calme-toi, Moustache, s'il te plaît. J'ai rien fait.
— Tu sors avec la comédienne.
— Non ! C'est pas vrai.
— Oui c'est vrai. Mens-moi pas.
— C'était vrai, mais là c'est fini. J'ai arrêté ça.

Je parle vite, mû par la crainte d'un faux mouvement ou, pire, d'un vrai. Moustache éloigne le revolver de mon front. Un pouce ou deux, seulement, mais ça me rassure.

— Je te jure que c'est fini.
— Tu me le jures ?
— Je te le jure. Je te mentirais pas.

Moustache hoche la tête. Il me croit. Il baisse son arme, retire son index de la détente. Je soupire.

— Allais-tu vraiment me tuer ?
— Peut-être.

J'ai les yeux rouges, la peur fait pleurer, semble-t-il.

— Calme-toi, me dit Moustache. Respire.

Je respire. Mal. Fort. Puis, tranquillement, je me replace.

— Comment t'as su qu'elle pis moi on...

— L'autre jour à la job, t'étais avec elle dans le bureau du boss... Quand vous êtes sortis, je vous ai trouvés bizarres. Il y avait quelque chose de louche dans vos pas, dans vos yeux. Du stress, quelque chose. J'ai fouillé. C'est ça que je fais, moi. Je fouille. Pis je finis toujours par trouver, c'est ça ma job. J'ai pas aimé ce que j'ai trouvé.

— Est-ce que tu l'as dit à Faulkner ?

— Si je lui avais dit, tu serais probablement déjà mort. Il niaise vraiment pas avec ses maudites règles de mongol.

Moustache range l'arme dans son pantalon. Je regarde au plafond, soulagé. Je ne crois pas qu'il aurait vraiment pu me tuer, mais je n'aurais jamais cru non plus qu'un revolver dans ma face puisse me faire aussi peur.

— Tu serais vraiment capable de me tuer ?
— Non.

Je souris. Lui pas.

— Il faut vraiment pas que ça se reproduise. Je suis sérieux. C'est vraiment la pire chose que tu puisses faire, fréquenter une cliente. Même si c'est la plus belle femme au monde.

— Elle est belle, han ?

— C'est pas ça le point. Le point, c'est que si tu fréquentes une autre cliente, ou si tu fréquentes encore celle-là, peut-être que je serai pas capable de te tuer, mais il y a une chose qui est sûre, c'est que je perds mon emploi. C'est ça ma job, moi, m'assurer que des affaires de même arrivent pas. Si je suis pas capable de faire ma job, le boss va me congédier. Je suis pas jeune, pis je sais rien faire de particulier, à part faire peur. Je serais perdu. Fait que si tu le fais pas pour suivre les règles de Faulkner, fais-le au moins pour moi.

Bien sûr, que je le ferai pour lui. Si j'avais à choisir entre une balle dans le front et être responsable de son congédiement, je choisirais la balle.

— Pourquoi tu m'as pas dit ça avant ? Avoir su, j'aurais jamais baisé avec la comédienne. Je t'aime ben trop pour ça.
— Le gun, c'était supposé te dissuader. Ça marche avec les autres.
— J'y ai jamais trop cru, moi, au gun. Surtout que je suis pas cave. J'ai ça, moi, Google, à la maison. Y a jamais eu de Paul Desjarlais qui est mort dans le coin. Je m'en doutais, parce que celui qui a fait la page que Faulkner m'a montrée, y est pas terrible en Photoshop.

Moustache sourit.

— Faulkner, il se pose pas de questions. La menace, ça a toujours fonctionné avec ses employés. Moi, je fais ce qu'il me dit.
— Mais c'est de ta faute, aussi. Si on se parlait plus, toi et moi, t'aurais ben fini par me le dire, que si je faisais quelque chose tu perdais ta job.
— On se parle quand même pas mal, non ?
— On se parle de dinosaures, ciboire. Jamais des vraies affaires. Si t'arrêtais de tout le temps m'empêcher de te parler de ma vie, peut-être qu'on avancerait un peu. Ça me ferait du bien, moi, de te parler de mon ex.

Moustache fait non de la tête.

— Je te l'ai dit, je suis pas capable.
— C'est n'importe quoi.
— Je te jure, j'ai un blocage avec ces affaires-là. Je suis pas capable de dealer avec des peines comme ça.
— Crisse, c'est juste une peine d'amour. C'est pas la fin du monde.
— C'est pas juste une peine d'amour.
— Mais oui. En plus, ça va s'arranger. Regarde, je lui ai acheté un cadeau de Noël. Elle va revenir, je suis pas mal sûr.

Moustache plisse le front. Je poursuis.

— C'est juste une peine d'amour, mais on va passer à travers.
— C'est pas juste une peine d'amour. Quand Faulkner t'a engagé, j'ai été obligé de fouiller dans ta vie. Je le sais que c'est pas juste une peine d'amour, t'es plus obligé de mentir.
— De quoi tu parles ? C'est juste une peine d'amour.
— Non.

Chapitre 29

Toi, le 4 août, en sous-vêtements

— C'est fini.
— Pourquoi ?
— Ça marche plus.
— Mais on est heureux, non ?
— Non.
— On est immortels, non ?
— Non plus.

Le lendemain, j'emportais avec moi mes vieux sacs, et j'atterrissais dans un hôtel *cheap*. Et j'avais mal.

***

Çá me revient, maintenant. J'aurais préféré que ça ne me revienne pas.

***

Deux jours plus tard, j'étais étendu dans le lit trop mou de ma chambre d'hôtel, et je me demandais encore si notre rupture était vraie ou si j'avais rêvé. Éric m'a appelé. Sur le coup, je n'ai pas reconnu sa voix, cassée comme si on lui avait piétiné la gorge.

— T'es où ? a-t-il demandé.
— À l'hôtel. Elle m'a laissé. Peux-tu croire qu'elle m'a laissé ? Elle m'a crissé là sans me donner de raison.
— Je...
— Je comprends pas pourquoi elle m'a fait ça. On était bien, ensemble, quand même. Non ?
— Écoute... Euh... Je sais pas trop comment dire ça...
— Dire quoi ?
— Elle est morte. Elle s'est suicidée.

Je n'ai rien dit pendant une éternité. Au bout du fil, j'entendais Éric pleurer. J'ai raccroché sans dire un mot.

Je me souviens d'avoir pleuré, moi aussi. De t'avoir pleurée, pendant trois jours, sans arrêt, sans sommeil, sans nourriture. J'ai bu mes larmes. Je m'en voulais, mais je ne savais pas pourquoi.

J'ai écouté du Desjardins. *Va-t'en pas. Dehors y a des orgies d'ennui jusqu'au fond des batteries. Va-t'en pas. Dehors j'ai vu un ciel si dur que tombaient les oiseaux.* En boucle, par-dessus les larmes, par-dessus les couteaux qui me transperçaient le corps. Je n'allais pas survivre.

***

Tu ne m'as pas laissé parce que tu étais tannée de moi. Tu m'as laissé parce que tu étais tannée de toi. Tu m'as crissé là pour pouvoir te crisser là toi-même.

Comment voulais-tu que j'accepte ça ?

Je ne l'ai pas accepté.

Trois jours plus tard, après avoir enfin dormi quelques heures, je me suis réveillé et tu n'étais pas morte. Il fallait que tu ne sois pas morte, sinon je ne pourrais pas survivre. Tu étais vivante et, pour me le prouver, j'allais te reconquérir. À tout prix. J'allais te séduire, devenir celui que tu aurais aimé que je sois, celui que tu n'aurais jamais été capable de quitter. J'allais te reconquérir, parce que si je réussissais, ça voulait dire que tu étais encore en vie.

J'ai oublié ta mort, cachée fermée verrouillée. Brûlée. Tu n'étais plus morte. Tu étais chez nous et tu m'attendais.

Il ne m'est resté que la peine d'amour, plus forte et plus violente, plus excessive qu'une vraie peine d'amour. Et la volonté de changer, pour te convaincre, pour que tu reviennes.

***

Tu as toujours détesté mon métier, depuis le jour où on s'est rencontrés, à la clinique sur Saint-Hubert. On en riait souvent, mais c'était vrai. Dans mon hôtel, en agonie, j'ai accepté de le détester, moi aussi. Il fallait bien que je le haïsse, pour pouvoir l'abandonner. C'est ce que tu voulais, non ? J'étais parfait, sauf pour ça, tu me l'as toujours dit.

Alors j'ai détesté la vie d'auteur. Rétroactivement.

La haine de mon métier, je l'ai inventée. Et j'y ai cru. Pourtant, j'aime écrire, avoir écrit aussi. Et je ne déteste pas les salons du livre, consommés avec modération. Tu te souviens, chaque année, je te racontais en riant les rencontres bizarres que j'y faisais et les niaiseries que j'écrivais comme dédicaces. Et toi, tu me disais que tu ne me comprenais pas.

C'est toi que tout ça dérangeait. L'écriture, les entrevues, la promotion, les quatrièmes de couverture. La vie d'auteur. C'est toi que ça irritait. On ne s'est jamais entendus là-dessus.

Mais j'étais prêt à changer.

Je me suis approprié ton propos, tes discours, ta haine des salons du livre, tes envolées sur l'art et sur ceux qui veulent écrire un livre. Tes phrases, je les ai faites miennes, pour te sentir près de moi. Je suis devenu toi, pour que tu existes encore.

J'ai arrêté de vouloir écrire. La vie d'auteur me répugnait, pour vrai. Ce n'était pas moi, ce n'était plus moi. C'était celui qui pourrait t'empêcher de mourir.

***

Tu as voulu garder l'appartement pour t'éteindre chez toi. Quelque chose m'empêchait d'y remettre les pieds ; je pensais que c'était toi, mais c'était l'absence de toi.

Quand je t'ai appelée, deux semaines après notre rupture, complètement soûl, c'est au répondeur que j'ai parlé. Le lendemain, Éric est venu me voir. Il s'inquiétait, en ami véritable, capable même de mettre de côté sa propre peine. J'entendais des reproches dans tout ce qu'il me disait, alors qu'il me consolait. Ce jour-là, avec Éric, j'étais le pire ami du monde. Il me répétait que tu n'étais plus là, mais je ne l'entendais pas. Je lui criais que je te reséduirais. Que j'allais devenir plombier. Je pleurais. Ta mort m'avait détruit, mais je ne le savais pas.

Il y avait en moi tout un être endolori qui voulait, malgré la peur, se rapprocher du lieu de ton décès. P. Faulkner, plomberie générale, ce n'était que ça. Un lieu proche de toi, pour trouver la paix. Tout le reste, c'était le mur que je me bâtissais pour survivre, peine d'amour et tout le tralala.

Notre conversation, celle de la fuite d'eau sous ton évier, je l'ai rêvée. Il n'y avait pas de fuite, mais la distance, elle, était bien réelle. J'étais trop bouleversé pour voir que rien n'avait bougé chez nous depuis mon départ, et le froid, ce froid, m'a fait plus mal que tout, mais je ne voulais pas le croire.

Et ces quatre messages sur ton répondeur, c'étaient les miens. J'ai imaginé un autre gars, ce n'était pas si faux. Qui étais-je, à ce moment-là ? Qui étais-je devenu ?

***

Je t'ai attendue au salon du livre, le mois dernier. Je t'ai attendue pour que tu voies que je n'aimais plus ça.

Tu n'es jamais venue. Je t'en ai voulu.

Pardonne-moi.

Chapitre 30

Au bout d'une corde

Il est sept heures du matin, et il neige. Je suis debout devant la shop, et je regarde notre appartement. C'est l'hiver, maintenant, et je n'ai toujours pas fait réparer ma botte. Je pleure depuis une heure, mais cette fois-ci ça n'a rien à voir avec l'amour. Je te pleure, toi, mon amour. J'inspire profondément, espérant ton odeur. Elle n'y est pas, tu n'y es plus.

Moustache passe à côté de moi. Il tire la porte vitrée de P. Faulkner, plomberie générale. Il y a trois jours, il posait un revolver sur mon front. Aujourd'hui, sa main sur mon épaule. Je sens sa chaleur dans mon omoplate pendant une fraction de seconde, puis il disparaît à l'intérieur.

Je ne sais pas si je pourrai le suivre.

Ce n'est pas important.

***

Tu m'as laissé pour nous quitter. Je ne pourrai pas guérir de ça.

On est immortels, mais pas tant que ça.

***

Tu ne m'as même pas laissé de note. Tu t'es pendue sans t'expliquer. On ne passe pas cinq ans avec un gars pour finir au bout d'une corde sans le moindre mot si ce n'est pas la faute de ce gars-là.

C'est à cause de tout ce que je n'ai pas su être. À cause de toutes les promesses que je n'ai jamais été capable de tenir. C'est ma faute. Les promesses chaque jour, que j'oubliais le lendemain. Et les plus grosses, que j'écrasais. Je t'ai trop souvent menti.

Et même maintenant.

Je t'avais dit que j'arrêterais d'écrire.

***

Pardonne-moi.

***

Reviens.

Cet ouvrage a été composé en Dolly 9,5/12
et achevé d'imprimer en mars 2015 sur les presses de
Marquis Imprimeur, Québec, Canada.